VINICIUS
LIVRO DE
SONETOS

VINICIUS
LIVRO DE
SONETOS

ORGANIZAÇÃO E APRESENTAÇÃO EUCANAÃ FERRAZ

COMPANHIA DAS LETRAS

COPYRIGHT © 2020 BY V. M. EMPREENDIMENTOS ARTÍSTICOS E CULTURAIS LTDA.
WWW.VINICIUSDEMORAES.COM.BR

*GRAFIA ATUALIZADA SEGUNDO O ACORDO ORTOGRÁFICO
DA LÍNGUA PORTUGUESA DE 1990, QUE ENTROU EM VIGOR
NO BRASIL EM 2009.*

CAPA E PROJETO GRÁFICO
CLAUDIA WARRAK

REVISÃO
ANA MARIA BARBOSA
MARISE LEAL

DADOS INTERNACIONAIS DE CATALOGAÇÃO NA PUBLICAÇÃO (CIP)
(CÂMARA BRASILEIRA DO LIVRO, SP, BRASIL)

MORAES, VINICIUS DE, 1913-1980.
LIVRO DE SONETOS / VINICIUS DE MORAES ; ORGANIZAÇÃO
E APRESENTAÇÃO EUCANAÃ FERRAZ. — 1ª ED. — SÃO PAULO :
COMPANHIA DAS LETRAS, 2020.

BIBLIOGRAFIA
ISBN 978-85-359-3343-7

1. MORAES, VINICIUS DE, 1913-1980. LIVRO DE SONETOS
2. POESIA BRASILEIRA 3. SONETOS BRASILEIROS
I. FERRAZ, EUCANAÃ. II. TÍTULO

20-34432   CDD-B869.91

ÍNDICE PARA CATÁLOGO SISTEMÁTICO:
1. SONETOS : LITERATURA BRASILEIRA B869.91
MARIA ALICE FERREIRA – BIBLIOTECÁRIA – CRB-8/7964

1ª REIMPRESSÃO

TODOS OS DIREITOS DESTA EDIÇÃO RESERVADOS À
EDITORA SCHWARCZ S.A.
RUA BANDEIRA PAULISTA, 702, CJ. 32
04532-002 — SÃO PAULO — SP
TELEFONE: [11] 3707-3500
WWW.COMPANHIADASLETRAS.COM.BR
WWW.BLOGDACOMPANHIA.COM.BR
FACEBOOK.COM/COMPANHIADASLETRAS
INSTAGRAM.COM/COMPANHIADASLETRAS
TWITTER.COM/CIALETRAS

SUMÁRIO

APRESENTAÇÃO 11
POR EUCANAÃ FERRAZ

ÁRIA PARA ASSOVIO 27
SONETO A KATHERINE MANSFIELD 28
SONETO DE DEVOÇÃO 29
SONETO DE INTIMIDADE 30
SONETO DE CONTRIÇÃO 31
SONETO À LUA 32
SONETO DE SEPARAÇÃO 35
SONETO DE OXFORD 36
SONETO DO MAIOR AMOR 37
SONETO DE AGOSTO 38
QUATRO SONETOS DE MEDITAÇÃO 39
SONETO DE CARNAVAL 43
ALLEGRO 45
SONETO DE VÉSPERA 46
SONETO A OTÁVIO DE FARIA 47
SONETINHO A PORTINARI 48
SONETO AO INVERNO 49
SONETO DE LONDRES 50
EPITÁFIO 51
SONETO DE FIDELIDADE 53
PÔR DO SOL EM ITATIAIA 54
SONETO DE DESPEDIDA 55
O ESCÂNDALO DA ROSA 56
SONETO DE QUARTA-FEIRA DE CINZAS 57
SONETO DA MULHER INÚTIL 58
SONETO DE ANIVERSÁRIO 59
SONETO A LASAR SEGALL 60
SONETO DE UM DOMINGO 61
SONETO DA ROSA 62
SONETO DO SÓ (PARÁBOLA DE MALTE LAURIDS BRIGGE) 63
BILHETE A BAUDELAIRE 65
NÃO COMEREI DA ALFACE A VERDE PÉTALA 66
A PERA 67
TRÍPTICO NA MORTE DE SERGEI MIKHAILOVITCH EISENSTEIN 68
POÉTICA 71

SONETO DO AMOR TOTAL 73
SONETO A FLORENÇA 74
MÁSCARA MORTUÁRIA DE GRACILIANO RAMOS 75
SONETO DE MAIORIDADE 76
SONETO DO CORIFEU 78
SONETO DA MULHER AO SOL 79
SONETO DO AMOR COMO UM RIO 80
RETRATO DE MARIA LÚCIA 81
O ESPECTRO DA ROSA 82
SONETO DE MONTEVIDÉU 83
O VERBO NO INFINITO 84
OS QUATRO ELEMENTOS 85
    I — O FOGO
    II — A TERRA
    III — O AR
    IV — A ÁGUA
SONETO DA HORA FINAL 89
SONETO A PABLO NERUDA 91
POÉTICA (II) 92
O ANJO DAS PERNAS TORTAS 93
SONETO NO SESSENTENÁRIO DE RAFAEL ALBERTI 94
SONETO DA ESPERA 95
SONETO DA ROSA TARDIA 96
SONETO DO GATO MORTO 97
ANFIGURI 98
SONETO DE MAIO 99

ESPARSOS
SINTO-ME SÓ COMO UM SEIXO DE PRAIA 104
SONETO DA ILHA 105
SONETO DA DESESPERANÇA 106
OTÁVIO 107
BRINCANDO COM VINICIUS, BEATRIZ 108
SONETO A QUATRO MÃOS (COM PAULO MENDES CAMPOS) 109
SONETO COM PÁSSARO E AVIÃO 110
SONETO DO AMIGO 111
SONETO AO CAJU 112
SONETO DO BREVE MOMENTO 113
SONETO SENTIMENTAL À CIDADE DE SÃO PAULO 114
SONETO NA MORTE DE JOSÉ ARTHUR DA FROTA MOREIRA 115
SONETO DA MULHER CASUAL 116
SONETO DE LUZ E TREVA 117
SONETO NO SESSENTENÁRIO DE RUBEM BRAGA 118
SONETO DE MARTA 119

O CAMINHO PARA O SONETO 127
POR OTTO LARA RESENDE

CRONOLOGIA 141
CRÉDITOS DAS IMAGENS 153
ÍNDICE DE TÍTULOS 154

APRESENTAÇÃO

EUCANAÃ FERRAZ

Vinicius de Moraes contava apenas dezenove anos quando, em 1933, publicou seu primeiro livro, *O caminho para a distância*. O volume trazia três sonetos, presença que sugeria alguma disposição do jovem poeta para as formas fixas e para a metrificação, ainda que o conjunto exibisse em número bem maior o verso livre, longo e sem rimas.

Dois anos depois, veio à luz uma nova coleção de inéditos — *Forma e exegese* — à qual se seguiu, já no ano seguinte, *Ariana, a mulher*. Em ambas as obras, a ausência do soneto parecia desmentir qualquer gosto pelas formas breves e fixas e confirmar aquele pendor pelas formas irregulares e pelo verso livre de andamento largo.

Mas o soneto retornou no livro subsequente, *Novos poemas*, de 1938, o que despertou a atenção de Mário de Andrade — "tem uma série de interessantíssimos sonetos",[1] registrou. Com o título da coletânea, Vinicius assi-

---

1 Mário de Andrade, "Belo, forte, jovem". In: Vinicius de Moraes, *Poesia completa e prosa*. Org. de Eucanaã Ferraz. 4.ed. Rio de Janeiro: Nova Aguilar, 2004, p. 85.

nalava uma renovação de sua escrita, que, a partir de então, assumiria feição decididamente moderna, marcada por uma economia expressiva que assentava, entre outros traços distintivos, no verso mais abreviado e não raro medido. A "série de interessantíssimos sonetos" compõe-se de um número de fato significativo: dez, num total de 31 poemas. Lá está o polêmico "Soneto de intimidade", que Mário considerou "sumarento", muito embora "um pequeno engano de forma, temático em demasia pra soneto de boa tradição";[2] enquanto Renata Pallottini, excelente leitora da obra viniciana, qualificou-o sem reservas como "magnífico".[3] O livro traz também o "Soneto de devoção", que David Mourão-Ferreira reconhecia como "dos mais belos trechos eróticos da língua portuguesa".[4]

Não há dúvida de que a partir daí o soneto se foi confirmando como forma privilegiada na poética de Vinicius de Moraes — garantiu-lhe algumas de suas realizações mais bem alcançadas, além de uma popularidade rara no âmbito da literatura. Assim, quando, em 1957 — já parceiro de Tom Jobim, diga-se de passagem —, publicou o *Livro de sonetos*, gozava de esplêndida consagração, cabendo àquela seleta de poemas convocados ao longo de seus livros confirmá-lo como sonetista exemplar. Afinal, ali vinham estampadas joias como "Soneto de fidelidade", "Soneto de separação", "Soneto do amor total" e "Soneto do gato morto".

No prefácio à primeira edição, Luiz Santa Cruz observou que a beleza e a importância daqueles poemas consistiam no fato de que, sendo clássicos, por vezes quase à maneira antiga, nada tinham de plágio ou de

2 Id.
3 Renata Pallottini, "Vinicius de Moraes: Aproximação". In: Vinicius de Moraes, op. cit., p. 124.
4 David Mourão-Ferreira, "O amor na poesia de Vinicius de Moraes". In: Vinicius de Moraes, op. cit., p. 108.

pastiche.[5] Na verdade, o leitor reconhece sem dificuldades tanto a dicção moderna e decididamente pessoal quanto algo que a reenvia à lírica amorosa de Camões ou a vagos matizes de forma e conteúdo que creditamos camonianos.

Ao prefaciar a segunda edição, de 1967 — dez anos depois da primeira, portanto —, Otto Lara Resende confirmou que os sonetos de Vinicius, essencialmente modernos, apresentam a mesma naturalidade dos outros poemas; e ainda: "a lição camoniana, que por sua vez será petrarquiana", amplia o "espaço imponderável, mas nítido, da liberdade interior, sem a qual o soneto é apenas um exercício enfadonho e bem-pensante, tendente ao sublime, mas tão só conceituoso, o que quer dizer antipoético".[6]

———

Poema composto de catorze versos, dispostos em duas quadras e dois tercetos. Talvez seja essa a mais sucinta descrição do soneto, já que outros aspectos formais, como a disposição das rimas e o número de sílabas de cada verso, passaram por muitíssimas variações ao longo dos tempos, sobretudo no inquieto e libertário século xx. A fixidez da forma demonstrou-se, portanto, elástica em termos estruturais quando já era evidente sua harmonização com a singularidade de cada poeta e sua adequação a conteúdos e temas distintos — amorosos, satíricos, filosóficos, existenciais, descritivos etc. — em paisagens culturais, linguísticas, ideológicas e artísticas igualmente várias e até mesmo divergentes.

5 Luiz Santa Cruz, "O soneto na poesia de Vinicius de Moraes". In: Vinicius de Moraes, *Livro de sonetos*. São Paulo: Companhia das Letras, 1991, pp. 113-4.
6 Otto Lara Resende, "O caminho para o soneto". In: Vinicius de Moraes, *Livro de sonetos*, op. cit., p. 126.

As histórias da literatura ocidental situam seu nascimento na Itália da primeira metade do século XIII, sobretudo na Sicília, sob o reinado de Frederico II, cabendo a Giacomo da Lentini o título de seu inventor. Mas o soneto prosperou — e teve definidas suas feições mais propriamente compositivas — em Florença, com o movimento de renovação conhecido por *dolce stil nuovo*, do qual faziam parte, entre outros, Guido Cavalcanti, Cino da Pistoia e Dante Alighieri. Foi na geração seguinte, no entanto, que pela pena de Francesco Petrarca o formato alcançou sua expressão mais forte, com a demarcação de temas e procedimentos que se difundiriam por toda a Europa ao longo dos séculos.

Deve-se a Sá de Miranda a chegada do soneto às terras portuguesas, quando retornou a Lisboa após uma viagem pela Itália. Porém, o século XVI assistiria à plenitude do modelo petrarquista em língua portuguesa na lírica de Camões.

———

Bem mais do que uma forma acabada, o soneto é uma estrutura que se molda aos ritmos vitais de quem a emprega. Aquilo que soa clássico nos sonetos de Vinicius faz ver sobretudo uma espécie de coincidência entre o vivido e o lido, ou seja, tudo se funde na expressão.

A métrica, por exemplo, surge nos versos especialmente como exploração de ritmos, que sobrevêm como manifestação transfigurada das vivências do sujeito lírico. O leitor experimenta com isso uma espécie de indeterminação, quando já não é possível distinguir se o que guia a leitura é o sentido dos versos — aquilo que expressam como conhecimento do eu, do mundo que o cerca e de nós mesmos —, a musicalidade ou o encadeamento cambiante das imagens. O certo é que nada disso se distingue, e o poema parece nos solicitar muito mais a entrega sensível do que a inteligência esquiva.

Quatro séculos antes, Camões mostrara que o ritmo no soneto era um forte instrumento de indagação existencial, ou ainda, que a forma se prestava ao exame de sistemas subjetivos cuja complexidade a lírica enfrentava no campo da linguagem. Isso reclamava tanto a destreza intelectual quanto a confiança na pura mágica do ritmo.

———

Em *Camões e a poesia brasileira*, Gilberto Mendonça Teles assegura que Vinicius "tem sonetos que se circunscrevem à influência estilística de Camões" e cita como exemplo o "Soneto de fidelidade", para concluir que os seus dois versos finais "apresentam o mesmo jogo antitético comum à lírica camoniana".[7]

Nunca é demasiado citar: "que não seja imortal posto que é chama/ mas que seja infinito enquanto dure". Também vale demorar um pouco no gozo dessas imagens tão conhecidas nossas. Não há dúvida de que com elas experimentamos uma instabilidade de sentido. Deparamos com um jogo verbal que parece patentear uma compreensão total das coisas: "não seja", "é", "seja". Nessa tríade, ou ainda, nesse triângulo construído pelo verbo "ser", a simetria — imperativo/presente/imperativo — é patente, e dela emerge impetuosa uma espécie de revelação acerca dos mistérios do amor. O desvelamento da verdade, digamos, se dá numa sentença que propõe três estados frente ao amor e à vida: aceitação ("não seja"), constatação ("é"), desafio ("seja"). Mas se os versos têm a clareza de uma máxima na qual se manifesta a veemência da renúncia e a contundência da aposta, algo permanece obscuro. Ora, ocorre que a oposição entre as duas asserções — "não seja imortal" × "seja infinito" —, a que se soma a

7 Gilberto Mendonça Telles, *Camões e a poesia brasileira*. 3. ed. Rio de Janeiro: Livros Técnicos e Científicos, 1979, p. 220.

semelhança estrutural entre elas, produz um efeito perturbador. Assim, uma contradição se instala: como poderá ser infinito o que será mortal? Mas antes que se faça em nós tal pergunta, somos arrebatados pela viveza do ritmo, pela impressão de que acabamos de descobrir algo muito importante.

Também soa estranha e antitética a imagem "infinito enquanto dure". Afinal, como algo "infinito" pode ter, de antemão, decretada sua duração na precariedade de um tempo que parece fadado a se extinguir? Se os versos tratam do sentimento amoroso, este surge não como idealização, mas como fenômeno imerso no tempo. O soneto é sobretudo uma ponderação acerca da duração do amor, projetado sobre o riso, o pranto, a morte e a solidão.

Os dois decassílabos em questão, é importante perceber, não se limitam a uma jura de fidelidade ou de amor eternos. A maravilhosa perturbação final tem a ver com o fato de que, na imagem, o termo "infinito" diz respeito não à temporalidade, mas a uma qualidade que se experimenta no tempo: o amor será vivido na condição daquilo que é infinito, dure o tempo que durar; terá a intensidade da chama — imagem que remete ao notável verso de Camões: "amor é um fogo que arde sem se ver" —, que quanto mais alta mais rapidamente se extingue. Eis o infinito do amor segundo Vinicius — não uma extensão, ou ainda, não o *não finito*, mas a vivência extrema, atributo das coisas vividas em ânimo e grandeza.

É interessante notar ainda a presença da palavra "pensamento" ao fim da primeira quadra do soneto, pois o termo como que anuncia a empresa reflexiva que definirá o poema até sua conclusão conceitual no esplêndido dístico. Mas também está lá a expressão "dele se encante". Portanto, pensamento e encantamento seguirão em simultâneo, sem que um seja o avesso do outro, tanto na escrita quanto na leitura.

Se o soneto nunca se restringiu ao tema amoroso, este acabou por se confundir com aquele, como se forma e tema tivessem se ajustado, fenômeno para o qual terá colaborado, decerto, uma tradição constituída por nomes como Dante, Sá de Miranda, Camões, Ronsard, Shakespeare, mas também Baudelaire, Cláudio Manuel da Costa e Pablo Neruda.

Os sonetos amorosos de Vinicius mostram forte agitação emotiva e, ao mesmo tempo, um desejo de pacificação dentro da própria intensidade amorosa; se exibem pungente consciência da finitude — do amor e da vida —, também anseiam por uma transcendência que, contraditoriamente, só o amor pode oferecer, e que, na sua extrema realização, confunde-se com a própria morte; a meditação dolorosa acerca dos limites do amor convive com a festiva celebração do instante. É, portanto, no retesamento entre polos, fonte de angústia, ou na contemplação maliciosa de incoerências e desacordos que Vinicius penetra na matéria de seus sonetos de amor. O *desequilíbrio* está na origem da cena, mas a ordenação formal cumprida pelo poeta induz, por sua parte, à *estabilidade*. Assim, a dissonância acha-se no centro da própria expressão.

Nessas breves e intensas composições, a efusão sentimental volta-se sobre si mesma em espirais sintático-
-conceituais, como um exercício de torcedura, criando curvas reflexivas e timbres de colorido intenso, mas também alta qualidade emotiva. Curiosamente, deparamos não raro com a sobriedade, conquistada não pela economia restritiva da frase ou das imagens, mas por aquele trabalho de torcer, deslocar, desviar e encurvar tanto da sintaxe quanto da ideia. A feição clássica dos sonetos de Vinicius vem de tais caprichos de conceito e de forma que reconhecemos, por exemplo, na lição camoniana,

ou, se quisermos, na tradição petrarquista. Tais características convocam alguma memória do leitor, que a elas responde com uma adesão duradoura.

———

Mas nem todos os sonetos de Vinicius de Moraes exibem as torções da sintaxe e da ideia que nos endereçam para os jogos formais de Camões e de outros clássicos. Basta ver as experimentações radicais que aparecem, por exemplo, em "A pera" e em "Soneto do gato morto". Exemplo acabado de uma exploração da forma fixa em outras direções é também o magnífico "Soneto de separação", que, em vez da exuberância da sintaxe sinuosa, presente em "Soneto de fidelidade", "Soneto de véspera" ou "Soneto de Quarta-Feira de Cinzas", constrói-se, digamos, em linha reta; ou ainda, com linhas retas: frases diretas, asserções fulminantes acumuladas num processo de justaposição — as mudanças repentinas causadas pela separação rompem a cada imagem, verso a verso, como camadas que surgem no ritmo do espanto e da dura constatação. O ritmo é seco, grave. Em tudo pulsa uma extraordinária contenção emotiva. O soneto se faz a partir do mesmo sobressalto camoniano de que "mudam-se os tempos, mudam-se as vontades", mas aqui a repisada expressão "de repente" empresta uma estranha violência à atmosfera melancólica do quadro.

———

A luta contra o convencionalismo oficial das belas-artes e da poesia parnasiana levou os modernistas da década de 1920 a uma rejeição programática do que se convencionou chamar em bloco de "passadismo"; adicionou-se a tal recusa uma busca de brasilidade que animou os diferentes grupos vanguardistas de então. Assim, confirmou-se o verso livre como instrumento apropriado para captar os inúmeros e contrastantes aspectos da vida moderna, fossem os mais objetivos ou os mais subjetivos. Não é difícil compreender que se desprezasse o passado português como memória do atraso colonial brasileiro, contra o qual se insurgiu um primitivismo inspirado pelas vanguardas francesas. Visto em tal moldura, o soneto era a reminiscência de uma sujeição a se superar pela paródia ou pelo apagamento.

Vinicius de Moraes iniciou sua carreira num momento em que tais disposições estavam mais ou menos removidas do campo literário. Para Renata Pallottini, o poeta foi, historicamente, o "regenerador do soneto depois da semana de 22".[8] A autora ainda observa que muito embora haja sonetos em *O caminho para a distância*, o início dessa regeneração se deu com *Novos poemas*, de 1938. E acrescenta que *A rua dos cataventos*, brilhante conjunto de sonetos de Mário Quintana, traz uma dedicatória de 1938, mas que o volume só seria publicado em 1940; Pallottini não deixa de observar, porém, que este guarda sobre o livro de Vinicius "a vantagem de ser exclusivamente composto de sonetos".[9]

———

Sua terceira filha, Luciana, nasceu em 20 de março de 1956. Em setembro, no dia 25, estreou no Teatro Municipal do Rio de Janeiro o musical *Orfeu da Conceição*. Vida e trabalho ganhavam novas e excitantes direções. O *Livro de sonetos* foi um segundo balanço da obra — a primeira visada de conjunto acontecera em 1954, com a publicação da *Antologia poética*. Mas a nova retrospectiva confirmava algo específico: a dedicação ao soneto. Dez anos mais

8 Renata Pallottini, op. cit., p.131.
9 Id.

tarde veio à luz a segunda edição do livro, à qual o autor somou 25 poemas inéditos (após sucessivas reedições, foram acrescentados sonetos que permaneceram inéditos, reunidos no presente volume sob o título geral de "Esparsos").

———

Os sonetos escritos por Vinicius de Moraes formam um conjunto singular no quadro da moderna poesia brasileira. Impressionam pela carga emotiva que encerram, mas também pela maleabilidade que a forma fixa adquire nas mãos do poeta.

Retorno a Otto Lara Resende, para quem a lição camoniana, ou petrarquiana, ampliava o "espaço imponderável, mas nítido, da liberdade interior" da poesia de Vinicius. Avaliação perfeita e clara. Acredito também que este *Livro de sonetos* será sempre uma lição preciosa para quem deseja ampliar o espaço imponderável, talvez obscuro e impreciso, de sua própria liberdade interior.

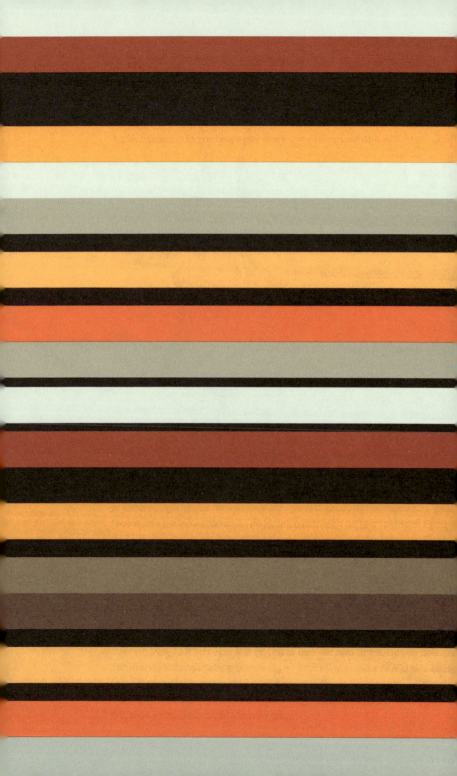

LIVRO DE SONETOS

ÁRIA PARA ASSOVIO

Inelutavelmente tu
Rosa sobre o passeio
Branca! e a melancolia
Na tarde do seio.

As cássias escorrem
Seu ouro a teus pés
Conheço o soneto
Porém tu quem és?

O madrigal se escreve:
Se é do teu costume
Deixa que eu te leve

(Sê... mínima e breve
A música do perfume
Não guarda ciúme.)

RIO, 1936

SONETO A KATHERINE MANSFIELD

O teu perfume, amada! — em tuas cartas
Renasce, azul… — são tuas mãos sentidas!
Relembro-as brancas, leves, fenecidas
Pendendo ao longo de corolas fartas.

Relembro-as, vou… nas terras percorridas
Torno a aspirá-lo, aqui e ali desperto
Paro; e tão perto sinto-te, tão perto
Como se numa foram duas vidas.

Pranto, tão pouca dor! tanto quisera
Tanto rever-te, tanto!… e a primavera
Vem já tão próxima!… (Nunca te apartas

Primavera, dos sonhos e das preces!)
E no perfume preso em tuas cartas
À primavera surges e esvaneces.

RIO, 1937

SONETO DE DEVOÇÃO

Essa mulher que se arremessa, fria
E lúbrica aos meus braços, e nos seios
Me arrebata e me beija e balbucia
Versos, votos de amor e nomes feios.

Essa mulher, flor de melancolia
Que se ri dos meus pálidos receios
A única entre todas a quem dei
Os carinhos que nunca a outra daria.

Essa mulher que a cada amor proclama
A miséria e a grandeza de quem ama
E guarda a marca dos meus dentes nela.

Essa mulher é um mundo! — uma cadela
Talvez… — mas na moldura de uma cama
Nunca mulher nenhuma foi tão bela!

RIO, 1937

SONETO DE INTIMIDADE

Nas tardes da fazenda há muito azul demais.
Eu saio às vezes, sigo pelo pasto, agora
Mastigando um capim, o peito nu de fora
No pijama irreal de há três anos atrás.

Desço o rio no vau dos pequenos canais
Para ir beber na fonte a água fria e sonora
E se encontro no mato o rubro de uma amora
Vou cuspindo-lhe o sangue em torno dos currais.

Fico ali respirando o cheiro bom do estrume
Entre as vacas e os bois que me olham sem ciúme
E quando por acaso uma mijada ferve

Seguida de um olhar não sem malícia e verve
Nós todos, animais, sem comoção nenhuma
Mijamos em comum numa festa de espuma.

CAMPO BELO, 1937

SONETO DE CONTRIÇÃO

Eu te amo, Maria, eu te amo tanto
Que o meu peito me dói como em doença
E quanto mais me seja a dor intensa
Mais cresce na minha alma teu encanto.

Como a criança que vagueia o canto
Ante o mistério da amplidão suspensa
Meu coração é um vago de acalanto
Berçando versos de saudade imensa.

Não é maior o coração que a alma
Nem melhor a presença que a saudade
Só te amar é divino, e sentir calma...

E é uma calma tão feita de humildade
Que tão mais te soubesse pertencida
Menos seria eterno em tua vida.

RIO, 1938

SONETO À LUA

Por que tens, por que tens olhos escuros
E mãos lânguidas, loucas e sem fim
Quem és, que és tu, não eu, e estás em mim
Impuro, como o bem que está nos puros?

Que paixão fez-te os lábios tão maduros
Num rosto como o teu criança assim
Quem te criou tão boa para o ruim
E tão fatal para os meus versos duros?

Fugaz, com que direito tens-me presa
A alma que por ti soluça nua
E não és Tatiana e nem Teresa:

E és tampouco a mulher que anda na rua
Vagabunda, patética, indefesa
Ó minha branca e pequenina lua!

RIO, 1938

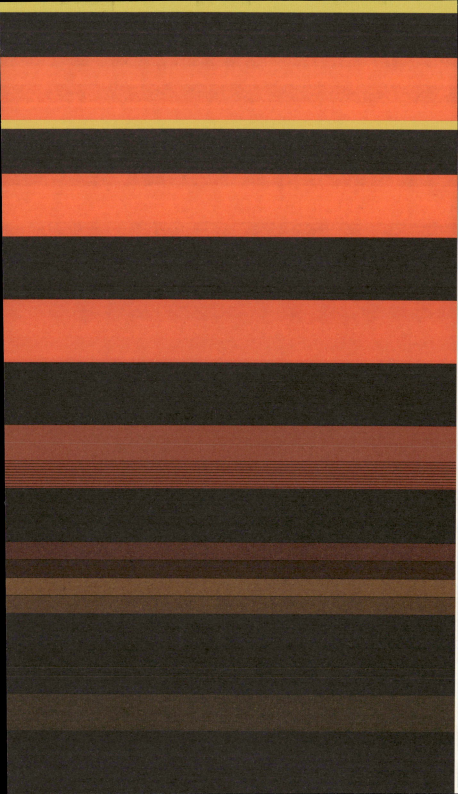

SONETO DE SEPARAÇÃO

De repente do riso fez-se o pranto
Silencioso e branco como a bruma
E das bocas unidas fez-se a espuma
E das mãos espalmadas fez-se o espanto.

De repente da calma fez-se o vento
Que dos olhos desfez a última chama
E da paixão fez-se o pressentimento
E do momento imóvel fez-se o drama.

De repente, não mais que de repente
Fez-se de triste o que se fez amante
E de sozinho o que se fez contente.

Fez-se do amigo próximo o distante
Fez-se da vida uma aventura errante
De repente, não mais que de repente.

OCEANO ATLÂNTICO, A BORDO DO *HIGHLAND PATRIOT*,
A CAMINHO DA INGLATERRA, SETEMBRO DE 1938

SONETO DE OXFORD

Oh, partir pela noite enluarada
No puro anseio de chegar lá onde
A minha doce e fugitiva amada
Na madrugada, trêmula, se esconde...

Oh, sentir palpitar em cada fronde
O amor, oculto; e ouvir a voz velada
Da última estrela que do céu responde
Numa cintilação inesperada...

Oh, cruzar solidões, viver soturnas
Magias, e entre lágrimas noturnas
Ver o tempo passar, hora por hora

Para o instante em que, isenta de desejo
Ela despertará sob o meu beijo
Enquanto a treva se desfaz lá fora...

OXFORD, 1938

SONETO DO MAIOR AMOR

Maior amor nem mais estranho existe
Que o meu, que não sossega a coisa amada
E quando a sente alegre, fica triste
E se a vê descontente, dá risada.

E que só fica em paz se lhe resiste
O amado coração, e que se agrada
Mais da eterna aventura em que persiste
Que de uma vida mal-aventurada.

Louco amor meu, que quando toca, fere
E quando fere vibra, mas prefere
Ferir a fenecer — e vive a esmo

Fiel à sua lei de cada instante
Desassombrado, doido, delirante
Numa paixão de tudo e de si mesmo.

OXFORD, 1938

SONETO DE AGOSTO

Tu me levaste, eu fui... Na treva, ousados
Amamos, vagamente surpreendidos
Pelo ardor com que estávamos unidos
Nós que andávamos sempre separados.

Espantei-me, confesso-te, dos brados
Com que enchi teus patéticos ouvidos
E achei rude o calor dos teus gemidos
Eu que sempre os julgara desolados.

Só assim arrancara a linha inútil
Da tua eterna túnica inconsútil...
E para a glória do teu ser mais franco

Quisera que te vissem como eu via
Depois, à luz da lâmpada macia
O púbis negro sobre o corpo branco.

OXFORD, 1938

QUATRO SONETOS DE MEDITAÇÃO

I

Mas o instante passou. A carne nova
Sente a primeira fibra enrijecer
E o seu sonho infinito de morrer
Passa a caber no berço de uma cova.

Outra carne virá. A primavera
É carne, o amor é seiva eterna e forte
Quando o ser que viveu unir-se à morte
No mundo uma criança nascerá.

Importará jamais por quê? Adiante
O poema é translúcido, e distante
A palavra que vem do pensamento

Sem saudade. Não ter contentamento.
Ser simples como o grão de poesia
E íntimo como a melancolia.

II

Uma mulher me ama. Se eu me fosse
Talvez ela sentisse o desalento
Da árvore jovem que não ouve o vento
Inconstante e fiel, tardio e doce

Na sua tarde em flor. Uma mulher
Me ama como a chama ama o silêncio
E o seu amor vitorioso vence
O desejo da morte que me quer.

Uma mulher me ama. Quando o escuro
Do crepúsculo mórbido e maduro
Me leva a face ao gênio dos espelhos

E eu, moço, busco em vão meus olhos velhos
Vindos de ver a morte em mim divina:
Uma mulher me ama e me ilumina.

III

O efêmero. Ora, um pássaro no vale
Cantou por um momento, outrora, mas
O vale escuta ainda envolto em paz
Para que a voz do pássaro não cale.

E uma fonte futura, hoje primária
No seio da montanha, irromperá
Fatal, da pedra ardente, e levará
À voz a melodia necessária.

O efêmero. E mais tarde, quando antigas
Se fizerem as flores, e as cantigas
A uma nova emoção morrerem, cedo

Quem conhecer o vale e o seu segredo
Nem sequer pensará na fonte, a sós…
Porém o vale há de escutar a voz.

IV

Apavorado acordo, em treva. O luar
É como o espectro do meu sonho em mim
E sem destino, e louco, sou o mar
Patético, sonâmbulo e sem fim.

Desço na noite, envolto em sono; e os braços
Como ímãs, atraio o firmamento
Enquanto os bruxos, velhos e devassos
Assoviam de mim na voz do vento.

Sou o mar! sou o mar! meu corpo informe
Sem dimensão e sem razão me leva
Para o silêncio onde o Silêncio dorme

Enorme. E como o mar dentro da treva
Num constante arremesso largo e aflito
Eu me espedaço em vão contra o infinito.

OXFORD, 1938

SONETO DE CARNAVAL

Distante o meu amor, se me afigura
O amor como um patético tormento
Pensar nele é morrer de desventura
Não pensar é matar meu pensamento.

Seu mais doce desejo se amargura
Todo o instante perdido é um sofrimento
Cada beijo lembrado uma tortura
Um ciúme do próprio ciumento.

E vivemos partindo, ela de mim
E eu dela, enquanto breves vão-se os anos
Para a grande partida que há no fim

De toda a vida e todo o amor humanos:
Mas tranquila ela sabe, e eu sei tranquilo
Que se um fica o outro parte a redimi-lo.

OXFORD, CARNAVAL DE 1939

ALLEGRO

Sente como vibra
Doidamente em nós
Um vento feroz
Estorcendo a fibra

Dos caules informes
E as plantas carnívoras
De bocas enormes
Lutam contra as víboras

E os rios soturnos
Ouve como vazam
A água corrompida

E as sombras se casam
Nos raios noturnos
Da lua perdida.

OXFORD, 1939

SONETO DE VÉSPERA

Quando chegares e eu te vir chorando
De tanto te esperar, que te direi?
E da angústia de amar-te, te esperando
Reencontrada, como te amarei?

Que beijo teu de lágrimas terei
Para esquecer o que vivi lembrando
E que farei da antiga mágoa quando
Não puder te dizer por que chorei?

Como ocultar a sombra em mim suspensa
Pelo martírio da memória imensa
Que a distância criou — fria de vida

Imagem tua que eu compus serena
Atenta ao meu apelo e à minha pena
E que quisera nunca mais perdida...

OXFORD, 1939

SONETO A OTÁVIO DE FARIA

Não te vira cantar sem voz, chorar
Sem lágrimas, e lágrimas e estrelas
Desencantar, e mudo recolhê-las
Para lançá-las fulgurando ao mar?

Não te vira no bojo secular
Das praias, desmaiar de êxtase nelas
Ao cansaço viril de percorrê-las
Entre os negros abismos do luar?

Não te vira ferir o indiferente
Para lavar os olhos da impostura
De uma vida que cala e que consente?

Vira-te tudo, amigo! coisa pura
Arrancada da carne intransigente
Pelo trágico amor da criatura.

OXFORD, 1939

SONETINHO A PORTINARI

O pintor pequeno
O grande pintor
Ruim como um veneno
Bom como uma flor

Vi-o da Inglaterra
Uma tarde, vi-o
No ermo, vadio
Brodósqui onde a terra

É cor de pintura
Muito louro, vi-o
Dentro da moldura

De um quadro de aurora
O olhar azul frio:
— Lá ia ele embora...

OXFORD, 1939

SONETO AO INVERNO

Inverno, doce inverno das manhãs
Translúcidas, tardias e distantes
Propício ao sentimento das irmãs
E ao mistério da carne das amantes:

Quem és, que transfiguras as maçãs
Em iluminações dessemelhantes
E enlouqueces as rosas temporãs
Rosa dos ventos, rosa dos instantes?

Por que ruflaste as tremulantes asas
Alma do céu? o amor das coisas várias
Fez-te migrar — inverno sobre casas!

Anjo tutelar das luminárias
Preservador de santas e de estrelas…
Que importa a noite lúgubre escondê-las?

LONDRES, 1939

SONETO DE LONDRES

Que angústia estar sozinho na tristeza
E na prece! que angústia estar sozinho
Imensamente, na inocência! acesa
A noite, em brancas trevas o caminho

Da vida, e a solidão do burburinho
Unindo as almas frias à beleza
Da neve vã; oh, tristemente assim
O sonho, neve pela natureza!

Irremediável, muito irremediável
Tanto como essa torre medieval
Cruel, pura, insensível, inefável

Torre; que angústia estar sozinho! ó alma
Que ideal perfume, que fatal
Torpor te despetala a flor do céu?

LONDRES, 1939

EPITÁFIO

Aqui jaz o Sol
Que criou a aurora
E deu a luz ao dia
E apascentou a tarde

O mágico pastor
De mãos luminosas
Que fecundou as rosas
E as despetalou.

Aqui jaz o Sol
O andrógino meigo
E violento, que

Possuiu a forma
De todas as mulheres
E morreu no mar.

OXFORD, 1939

SONETO DE FIDELIDADE

De tudo, ao meu amor serei atento
Antes, e com tal zelo, e sempre, e tanto
Que mesmo em face do maior encanto
Dele se encante mais meu pensamento.

Quero vivê-lo em cada vão momento
E em seu louvor hei de espalhar meu canto
E rir meu riso e derramar meu pranto
Ao seu pesar ou seu contentamento.

E assim, quando mais tarde me procure
Quem sabe a morte, angústia de quem vive
Quem sabe a solidão, fim de quem ama

Eu possa me dizer do amor (que tive):
Que não seja imortal, posto que é chama
Mas que seja infinito enquanto dure.

ESTORIL, OUTUBRO DE 1939

PÔR DO SOL EM ITATIAIA

Nascentes efêmeras
Em clareiras súbitas
Entre as luzes tardas
Do imenso crepúsculo.

Negros megalitos
Em doce decúbito
Sob o peso frágil
Da pálida abóbada.

Calmo, subjacente
O vale infinito
A estender-se múltiplo

Inventando espaços
Dilatando a angústia
Criando o silêncio...

CAMPO BELO, 1940

SONETO DE DESPEDIDA

Uma lua no céu apareceu
Cheia e branca; foi quando, emocionada
A mulher a meu lado estremeceu
E se entregou sem que eu dissesse nada.

Larguei-as pela jovem madrugada
Ambas cheias e brancas e sem véu
Perdida uma, a outra abandonada
Uma nua na terra, outra no céu.

Mas não partira delas; a mais louca
Apaixonou-me o pensamento; dei-o
Feliz — eu de amor pouco e vida pouca

Mas que tinha deixado em meu enleio
Um sorriso de carne em sua boca
Uma gota de leite no seu seio.

RIO, 1940

O ESCÂNDALO DA ROSA

Oh rosa que raivosa
Assim carmesim
Quem te fez zelosa
O carme tão ruim?

Que anjo ou que pássaro
Roubou tua cor
Que ventos passaram
Sobre o teu pudor

Coisa milagrosa
De rosa de mate
De bom para mim

Rosa glamourosa?
Oh rosa que escarlate:
No mesmo jardim!

SONETO DE QUARTA-FEIRA DE CINZAS

Por seres quem me foste, grave e pura
Em tão doce surpresa conquistada
Por seres uma branca criatura
De uma brancura de manhã raiada

Por seres de uma rara formosura
Malgrado a vida dura e atormentada
Por seres mais que a simples aventura
E menos que a constante namorada

Porque te vi nascer de mim sozinha
Como a noturna flor desabrochada
A uma fala de amor, talvez perjura

Por não te possuir, tendo-te minha
Por só quereres tudo, e eu dar-te nada
Hei de lembrar-te sempre com ternura.

RIO, 1941

SONETO DA MULHER INÚTIL

De tanta graça e de leveza tanta
Que quando sobre mim, como a teu jeito
Eu tão de leve sinto-te no peito
Que o meu próprio suspiro te levanta.

Tu, contra quem me esbato liquefeito
Rocha branca! brancura que me espanta
Brancos seios azuis, nívea garganta
Branco pássaro fiel com que me deito.

Mulher inútil, quando nas noturnas
Celebrações, náufrago em teus delírios
Tenho-te toda, branca, envolta em brumas

São teus seios tão tristes como urnas
São teus braços tão finos como lírios
É teu corpo tão leve como plumas.

RIO, 1942

SONETO DE ANIVERSÁRIO

Passem-se dias, horas, meses, anos
Amadureçam as ilusões da vida
Prossiga ela sempre dividida
Entre compensações e desenganos.

Faça-se a carne mais envilecida
Diminuam os bens, cresçam os danos
Vença o ideal de andar caminhos planos
Melhor que levar tudo de vencida.

Queira-se antes ventura que aventura
À medida que a têmpora embranquece
E fica tenra a fibra que era dura.

E eu te direi: amiga minha, esquece…
Que grande é este amor meu de criatura
Que vê envelhecer e não envelhece.

RIO, 1942

SONETO A LASAR SEGALL

De inescrutavelmente no que pintas
Como num amplo espaço de agonias
Imarcescível música de tintas
A arder na lucidez das coisas frias:

Tão patéticas sois, tão sonolentas
Cores que o meu olhar mortificais
Entre verdes crestados e cinzentas
Ferrugens no prelúdio dos metais.

Que segredo recobre a velha pátina
Por onde a luz se filtra quase tímida
Do espaço silencioso que esculpiste

Para pintar sem gritos de escarlate
Na profunda revolta contra o crime
Daqueles que fizeram a vida triste?...

RIO, 1942

SONETO DE UM DOMINGO

Em casa há muita paz por um domingo assim.
A mulher dorme, os filhos brincam, a chuva cai...
Esqueço de quem sou para sentir-me pai
E ouço na sala, num silêncio ermo e sem fim

Um relógio bater, e outro dentro de mim...
Olho o jardim úmido e agreste: isso distrai
Vê-lo, feroz, florir mesmo onde o sol não vai
A despeito do vento e da terra que é ruim.

Na verdade é o infinito essa casa pequena
Que me amortalha o sonho e abriga a desventura
E a mão de uma mulher fez simples, pura e amena.

Deus que és pai como eu e a estimas, porventura:
Quando for minha vez, dá-me que eu vá sem pena
Levando apenas esse pouco que não dura.

RIO, SETEMBRO DE 1944

SONETO DA ROSA

Mais um ano na estrada percorrida
Vem, como o astro matinal, que a adora
Molhar de puras lágrimas de aurora
A morna rosa escura e apetecida.

E da fragrante tepidez sonora
No recesso, como ávida ferida
Guardar o plasma múltiplo da vida
Que a faz materna e plácida, e agora

Rosa geral de sonho e plenitude
Transforma em novas rosas de beleza
Em novas rosas de carnal virtude

Para que o sonho viva da certeza
Para que o tempo da paixão não mude
Para que se una o verbo à natureza.

RIO, 1944

SONETO DO SÓ

PARÁBOLA DE MALTE LAURIDS BRIGGE

Depois foi só. O amor era mais nada
Sentiu-se pobre e triste como Jó
Um cão veio lamber-lhe a mão na estrada
Espantado, parou. Depois foi só.

Depois veio a poesia ensimesmada
Em espelhos. Sofreu de fazer dó
Viu a face do Cristo ensanguentada
Da sua imagem — e orou. Depois foi só.

Depois veio o verão e veio o medo
Desceu de seu castelo até o rochedo
Sobre a noite e do mar lhe veio a voz

A anunciar os anjos sanguinários…
Depois cerrou os olhos solitários
E só então foi totalmente a sós.

RIO, 1946

BILHETE A BAUDELAIRE

Poeta, um pouco à tua maneira
E para distrair o *spleen*
Que estou sentindo vir a mim
Em sua ronda costumeira

Folheando-te, reencontro a rara
Delícia de me deparar
Com tua sordidez preclara
Na velha foto de Carjat

Que não revia desde o tempo
Em que te lia e te relia
A ti, a Verlaine, a Rimbaud...

Como passou depressa o tempo
Como mudou a poesia
Como teu rosto não mudou!

LOS ANGELES, 1947

NÃO COMEREI DA ALFACE
A VERDE PÉTALA

Não comerei da alface a verde pétala
Nem da cenoura as hóstias desbotadas
Deixarei as pastagens às manadas
E a quem mais aprouver fazer dieta.

Cajus hei de chupar, mangas-espadas
Talvez pouco elegantes para um poeta
Mas peras e maçãs, deixo-as ao esteta
Que acredita no cromo das saladas.

Não nasci ruminante como os bois
Nem como os coelhos, roedor; nasci
Omnívoro; deem-me feijão com arroz

E um bife, e um queijo forte, e parati
E eu morrerei, feliz, do coração
De ter vivido sem comer em vão.

LOS ANGELES, 1947

A PERA

Como de cera
E por acaso
Fria no vaso
A entardecer

A pera é um pomo
Em holocausto
À vida, como
Um seio exausto

Entre bananas
Supervenientes
E maçãs lhanas

Rubras, contentes
A pobre pera:
Quem manda ser a?

LOS ANGELES, 1947

TRÍPTICO NA MORTE DE
SERGEI MIKHAILOVITCH EISENSTEIN

I

Camarada Eisenstein, muito obrigado
Pelos dilemas, e pela montagem
De *Canal de Ferghana*, irrealizado
E outras afirmações. Tu foste a imagem

Em movimento. Agora, unificado
À tua própria imagem, muito mais
De ti, sobre o futuro projetado
Nos hás de restituir. Boa viagem

Camarada, através dos grandes gelos
Imensuráveis. Nunca vi mais belos
Céus que esses sob que caminhas, só

E infatigável, a despertar o assombro
Dos horizontes com tua câmara ao ombro...
Spasibo, tovarishch. Khorosho.

II

Pelas auroras imobilizadas
No instante anterior; pelos gerais
Milagres da matéria; pela paz
Da matéria; pelas transfiguradas

Faces da História; pelo conteúdo
Da História e em nome de seus grandes idos
Pela correspondência dos sentidos
Pela vida a pulsar dentro de tudo

Pelas nuvens errantes; pelos montes
Pelos inatingíveis horizontes
Pelos sons; pelas cores; pela voz

Humana; pelo Velho e pelo Novo
Pelo misterioso amor do povo
Spasibo, tovarishch. Khorosho.

III

O cinema é infinito — não se mede.
Não tem passado nem futuro. Cada
Imagem só existe interligada
À que a antecedeu e à que a sucede.

O cinema é a presciente antevisão
Na sucessão de imagens. O cinema
É o que não se vê, é o que não é
Mas resulta: a indizível dimensão.

Cinema é Odessa, imóvel na manhã
À espera do massacre; é *Nevski*; é *Ivan*
O Terrível; és tu, mestre! maior

Entre os maiores, grande destinado...
Muito bem, Eisenstein. Muito obrigado.
Spasibo, tovarishch. Khorosho.

LOS ANGELES, 12/2/1948

POÉTICA

De manhã escureço
De dia tardo
De tarde anoiteço
De noite ardo.

A oeste a morte
Contra quem vivo
Do sul cativo
O este é meu norte.

Outros que contem
Passo por passo:
Eu morro ontem

Nasço amanhã
Ando onde há espaço:
— Meu tempo é quando.

NOVA YORK, 1950

SONETO DO AMOR TOTAL

Amo-te tanto, meu amor... não cante
O humano coração com mais verdade...
Amo-te como amigo e como amante
Numa sempre diversa realidade.

Amo-te afim, de um calmo amor prestante
E te amo além, presente na saudade
Amo-te, enfim, com grande liberdade
Dentro da eternidade e a cada instante.

Amo-te como um bicho, simplesmente
De um amor sem mistério e sem virtude
Com um desejo maciço e permanente.

E de te amar assim, muito e amiúde
É que um dia em teu corpo, de repente
Hei de morrer de amar mais do que pude.

RIO, 1951

SONETO A FLORENÇA

Florença… que serenidade imensa
Nos teus campos remotos, de onde surgem
Em tons de terracota e de ferrugem
Torres, cúpulas, claustros: renascença

Das coisas que passaram mas que urgem…
Como em teu seio pareceu-me densa
A *selva oscura* onde silêncios rugem
No meio do caminho da descrença…

Que tristes sombras nos teus céus toscanos
Onde, em meu crime e meu remorso humanos
Julguei ver, na colina apascentada

Na forma de um cipreste impressionante
O grande vulto secular de Dante
Carpindo a morte da mulher amada…

RIO, JANEIRO DE 1953

MÁSCARA MORTUÁRIA
DE GRACILIANO RAMOS

Feito só, sua máscara paterna
Sua máscara tosca, de acre-doce
Feição, sua máscara austerizou-se
Numa preclara decisão eterna.

Feito só, feito pó, desencantou-se
Nele o íntimo arcanjo, a chama interna
Da paixão em que sempre se queimou
Seu duro corpo que ora longe inverna.

Feito pó, feito pólen, feito fibra
Feito pedra, feito o que é morto e vibra
Sua máscara enxuta de homem forte

Isto revela em seu silêncio à escuta:
Numa severa afirmação da luta
Uma impassível negação da morte.

RIO, MARÇO DE 1953

SONETO DE MAIORIDADE

O Sol, que pelas ruas da cidade
Revela as marcas do viver humano
Sobre teu belo rosto soberano
Espalha apenas pura claridade.

Nasceste para o Sol; és mocidade
Em plena floração, fruto sem dano
Rosa que enfloresceu, ano por ano
Para uma esplêndida maioridade.

Ao Sol, que é pai do tempo, e nunca mente
Hoje se eleva a minha prece ardente:
Não permita ele nunca que se afoite

A vida em ti, que é sumo de alegria
De maneira que tarde muito a noite
Sobre a manhã radiosa do teu dia.

RIO, 1954

SONETO DO CORIFEU

São demais os perigos desta vida
Para quem tem paixão, principalmente
Quando uma lua surge de repente
E se deixa no céu, como esquecida.

E se ao luar que atua desvairado
Vem se unir uma música qualquer
Aí então é preciso ter cuidado
Porque deve andar perto uma mulher.

Deve andar perto uma mulher que é feita
De música, luar e sentimento
E que a vida não quer, de tão perfeita.

Uma mulher que é como a própria lua:
Tão linda que só espalha sofrimento
Tão cheia de pudor que vive nua.

RIO, 1956

SONETO DA MULHER AO SOL

Uma mulher ao sol — eis todo o meu desejo
Vinda do sal do mar, nua, os braços em cruz
A flor dos lábios entreaberta para o beijo
A pele a fulgurar todo o pólen da luz.

Uma linda mulher com os seios em repouso
Nua e quente de sol — eis tudo o que eu preciso
O ventre terso, o pelo úmido, e um sorriso
À flor dos lábios entreabertos para o gozo.

Uma mulher ao sol sobre quem me debruce
Em quem beba e a quem morda e com quem me lamente
E que ao se submeter se enfureça e soluce

E tente me expelir, e ao me sentir ausente
Me busque novamente — e se deixe a dormir
Quando, pacificado, eu tiver de partir...

A BORDO DO *ANDREA C.*, A CAMINHO DA FRANÇA,
NOVEMBRO DE 1956

SONETO DO AMOR COMO UM RIO

Este infinito amor de um ano faz
Que é maior do que o tempo e do que tudo
Este amor que é real, e que, contudo
Eu já não cria que existisse mais.

Este amor que surgiu insuspeitado
E que dentro do drama fez-se em paz
Este amor que é o túmulo onde jaz
Meu corpo para sempre sepultado.

Este amor meu é como um rio; um rio
Noturno, interminável e tardio
A deslizar macio pelo ermo

E que em seu curso sideral me leva
Iluminado de paixão na treva
Para o espaço sem fim de um mar sem termo.

MONTEVIDÉU, 1959

RETRATO DE MARIA LÚCIA

Tu vens de longe; a pedra
Suavizou seu tempo
Para entalhar-te o rosto
Ensimesmado e lento

Teu rosto como um templo
Voltado para o oriente
Remoto como o nunca
Eterno como o sempre

E que subitamente
Se aclara e movimenta
Como se a chuva e o vento

Cedessem seu momento
À pura claridade
Do sol do amor intenso!

MONTEVIDÉU, 1959

O ESPECTRO DA ROSA

Juntem-se vermelho
Rosa, azul e verde
E quebrem o espelho
Roxo para ver-te

Amada anadiômena
Saindo do banho
Qual rosa morena
Mais chá que laranja.

E salte o amarelo
Cinzento de ciúme
E envolta em seu chambre

Te leve castanha
Ao branco negrume
Do meu leito em chamas.

MONTEVIDÉU, 1959

SONETO DE MONTEVIDÉU

Não te rias de mim, que as minhas lágrimas
São água para as flores que plantaste
No meu ser infeliz, e isso lhe baste
Para querer-te sempre mais e mais.

Não te esqueças de mim, que desvendaste
A calma ao meu olhar ermo de paz
Nem te ausentes de mim quando se gaste
Em ti esse carinho em que te esvais.

Não me ocultes jamais teu rosto; dize-me
Sempre esse manso adeus de quem aguarda
Um novo manso adeus que nunca tarda

Ao amante dulcíssimo que fiz-me
À tua pura imagem, ó anjo da guarda
Que não dás tempo a que a distância cisme.

MONTEVIDÉU, 1959

O VERBO NO INFINITO

Ser criado, gerar-se, transformar
O amor em carne e a carne em amor; nascer
Respirar, e chorar, e adormecer
E se nutrir para poder chorar

Para poder nutrir-se; e despertar
Um dia à luz e ver, ao mundo e ouvir
E começar a amar e então sorrir
E então sorrir para poder chorar.

E crescer, e saber, e ser, e haver
E perder, e sofrer, e ter horror
De ser e amar, e se sentir maldito

E esquecer tudo ao vir um novo amor
E viver esse amor até morrer
E ir conjugar o verbo no infinito...

RIO, 1960

OS QUATRO ELEMENTOS

I — O FOGO

O Sol, desrespeitoso do equinócio
Cobre o corpo da Amiga de desvelos
Amorena-lhe a tez, doura-lhe os pelos
Enquanto ela, feliz, desfaz-se em ócio.

E ainda, ademais, deixa que a brisa roce
O seu rosto infantil e os seus cabelos
De modo que eu, por fim, vendo o negócio
Não me posso impedir de pôr-me em zelos.

E pego, encaro o Sol com ar de briga
Ao mesmo tempo que, num desafogo
Proíbo-a formalmente que prossiga

Com aquele dúbio e perigoso jogo…
E para protegê-la, cubro a Amiga
Com a sombra espessa do meu corpo em fogo.

II — A TERRA

Um dia, estando nós em verdes prados
Eu e a Amada, a vagar, gozando a brisa
Ei-la que me detém nos meus agrados
E abaixa-se, e olha a terra, e a analisa

Com face cauta e olhos dissimulados
E, mais, me esquece; e, mais, se interioriza
Como se os beijos meus fossem mal dados
E a minha mão não fosse mais precisa.

Irritado, me afasto; mas a Amada
À minha zanga, meiga, me entretém
Com essa astúcia que o sexo lhe deu.

Mas eu que não sou bobo, digo nada...
Ah, é assim... (só penso). Muito bem:
Antes que a terra a coma, como eu.

III — O AR

Com mão contente a Amada abre a janela
Sequiosa de vento no seu rosto
E o vento, folgazão, entra disposto
A comprazer-se com a vontade dela.

Mas ao tocá-la e constatar que bela
E que macia, e o corpo que bem-posto
O vento, de repente, toma gosto
E por ali põe-se a brincar com ela.

Eu a princípio não percebo nada...
Mas ao notar depois que a Amada tem
Um ar confuso e uma expressão corada

A cada vez que o velho vento vem
Eu o expulso dali, e levo a Amada:
— Também brinco de vento muito bem!

IV — A ÁGUA

A água banha a Amada com tão claros
Ruídos, morna de banhar a Amada
Que eu, todo ouvidos, ponho-me a sonhar
Os sons como se foram luz vibrada.

Mas são tais os cochichos e descaros
Que, por seu doce peso deslocada
Diz-lhe a água, que eu friamente encaro
Os fatos, e disponho-me à emboscada.

E aguardo a Amada. Quando sai, obrigo-a
A contar-me o que houve entre ela e a água:
— Ela que me confesse! Ela que diga!

E assim arrasto-a à câmara contígua
Confusa de pensar, na sua mágoa
Que não sei como a água é minha amiga.

MONTEVIDÉU, ABRIL DE 1960

SONETO DA HORA FINAL

Será assim, amiga: um certo dia
Estando nós a contemplar o poente
Sentiremos no rosto, de repente
O beijo leve de uma aragem fria.

Tu me olharás silenciosamente
E eu te olharei também, com nostalgia
E partiremos, tontos de poesia
Para a porta de treva aberta em frente.

Ao transpor as fronteiras do Segredo
Eu, calmo, te direi: — Não tenhas medo
E tu, tranquila, me dirás: — Sê forte.

E como dois antigos namorados
Noturnamente tristes e enlaçados
Nós entraremos nos jardins da morte.

MONTEVIDÉU, JULHO DE 1960

SONETO A PABLO NERUDA

Quantos caminhos não fizemos juntos
Neruda, meu irmão, meu companheiro...
Mas este encontro súbito, entre muitos
Não foi ele o mais belo e verdadeiro?

Canto maior, canto menor — dois cantos
Fazem-se agora ouvir sob o Cruzeiro
E em seu recesso as cóleras e os prantos
Do homem chileno e do homem brasileiro

E o seu amor — o amor que hoje encontramos...
Por isso, ao se tocarem nossos ramos
Celebro-te ainda além, Cantor Geral

Porque como eu, bicho pesado, voas
Mas mais alto e melhor do céu entoas
Teu furioso canto material!

ATLÂNTICO SUL, A CAMINHO DO RIO, 1960

POÉTICA (II)

Com as lágrimas do tempo
E a cal do meu dia
Eu fiz o cimento
Da minha poesia.

E na perspectiva
Da vida futura
Ergui em carne viva
Sua arquitetura.

Não sei bem se é casa
Se é torre ou se é templo:
(Um templo sem Deus.)

Mas é grande e clara
Pertence ao seu tempo
— Entrai, irmãos meus!

RIO, 1960

O ANJO DAS PERNAS TORTAS

A FLÁVIO PORTO

A um passe de Didi, Garrincha avança
Colado o couro aos pés, o olhar atento
Dribla um, dribla dois, depois descansa
Como a medir o lance do momento.

Vem-lhe o pressentimento; ele se lança
Mais rápido que o próprio pensamento
Dribla mais um, mais dois; a bola trança
Feliz, entre seus pés — um pé de vento!

Num só transporte a multidão contrita
Em ato de morte se levanta e grita
Seu uníssono canto de esperança.

Garrincha, o anjo, escuta e atende: — Goooool!
É pura imagem: um *G* que chuta um *o*
Dentro da meta, um *l*. É pura dança!

RIO, 1962

SONETO NO SESSENTENÁRIO DE RAFAEL ALBERTI

A luminosa lágrima que verte
Hoje de ti saudosa a tua Espanha
Quero bebê-la em forma de champanha
Na mesma taça em que bebeste, Alberti.

E brindaremos para que desperte
Num ímpeto feroz de touro em sanha
Sedenta de viver, a tua Espanha
Que um mau toureiro derrotou inerte.

Beberemos, irmão, por que bem haja
Teu povo malferido, e que reaja
E do encontro final, rútilo e forte

Reste na arena o touro sobranceiro
E pela arena, o sangue do toureiro
Conte que a vida renasceu da morte.

PETRÓPOLIS, 10/12/1962

SONETO DA ESPERA

Aguardando-te, amor, revejo os dias
Da minha infância já distante, quando
Eu ficava, como hoje, te esperando
Mas sem saber ao certo se virias.

E é bom ficar assim, quieto, lembrando
Ao longo de milhares de poesias
Que te estás sempre e sempre renovando
Para me dar maiores alegrias.

Dentro em pouco entrarás, ardente e loura
Como uma jovem chama precursora
Do fogo a se atear entre nós dois

E da cama, onde em ti me dessedento
Tu te erguerás como o pressentimento
De uma mulher morena a vir depois.

RIO, ABRIL DE 1963

SONETO DA ROSA TARDIA

Como uma jovem rosa, a minha amada...
Morena, linda, esgalga, penumbrosa
Parece a flor colhida, ainda orvalhada
Justo no instante de tornar-se rosa.

Ah, por que não a deixas intocada
Poeta, tu que és pai, na misteriosa
Fragrância do seu ser, feito de cada
Coisa tão frágil que perfaz a rosa...

Mas (diz-me a Voz) por que deixá-la em haste
Agora que ela é rosa comovida
De ser na tua vida o que buscaste

Tão dolorosamente pela vida?
Ela é rosa, poeta... assim se chama...
Sente bem seu perfume... Ela te ama...

RIO, JULHO DE 1963

SONETO DO GATO MORTO

Um gato vivo é qualquer coisa linda
Nada existe com mais serenidade
Mesmo parado ele caminha ainda
As selvas sinuosas da saudade

De ter sido feroz. À sua vinda
Altas correntes de eletricidade
Rompem do ar as lâminas em cinza
Numa silenciosa tempestade.

Por isso ele está sempre a rir de cada
Um de nós, e ao morrer perde o veludo
Fica torpe, ao avesso, opaco, torto

Acaba, é o antigato; porque nada
Nada parece mais com o fim de tudo
Que um gato morto.

FLORENÇA, NOVEMBRO DE 1963

ANFIGURI

Aquilo que eu ouso
Não é o que quero
Eu quero o repouso
Do que não espero.

Não quero o que tenho
Pelo que custou
Não sei de onde venho
Sei para onde vou.

Homem, sou a fera
Poeta, sou um louco
Amante, sou pai.

Vida, quem me dera…
Amor, dura pouco…
Poesia, ai!…

RIO, 1965

SONETO DE MAIO

Suavemente Maio se insinua
Por entre os véus de Abril, o mês cruel
E lava o ar de anil, alegra a rua
Alumbra os astros e aproxima o céu.

Até a lua, a casta e branca lua
Esquecido o pudor, baixa o dossel
E em seu leito de plumas fica nua
A destilar seu luminoso mel.

Raia a aurora tão tímida e tão frágil
Que através do seu corpo transparente
Dir-se-ia poder-se ver o rosto

Carregado de inveja e de presságio
Dos irmãos Junho e Julho, friamente
Preparando as catástrofes de Agosto...

OURO PRETO, MAIO DE 1967

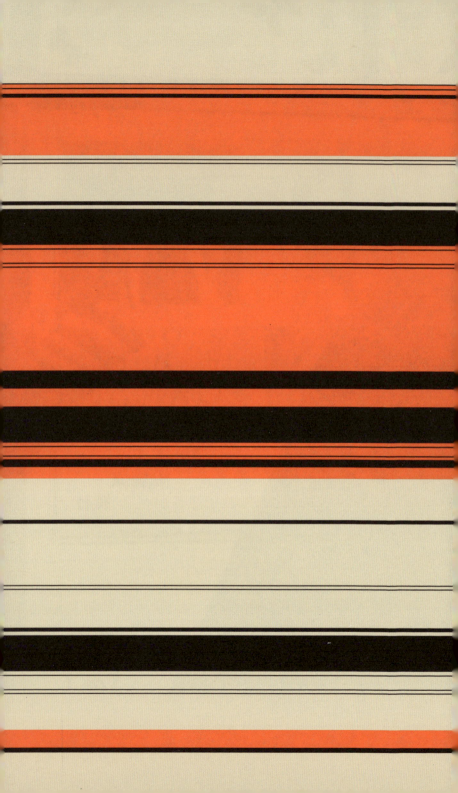

ESPARSOS

SINTO-ME SÓ COMO UM
SEIXO DE PRAIA

Sinto-me só como um seixo de praia
Vivendo à busca no cristal das ondas
Não sei se sou o que não sou. Pressinto
Que a maré vai morar no fundo d'alma.

Calo-me sempre se te escuto vindo
Marulho de incerteza e de agonia;
Há crenças deslizando nos meus traços
Molhando a estátua do meu sonho antigo.

Declino-me nas frases dos rochedos
Nas pérolas de som do inesquecer
Na incrível sombra da montanha adulta.

E ao me curvar ao peso da memória
Descubro meu reflexo obscuro
Num soneto de espumas inexatas.

SONETO DA ILHA

Eu deitava na praia, a cabeça na areia
Abria as pernas aos alísios e ao luar
Tonto de maresia; e a mão da maré-cheia
Vinha coçar meus pés com seus dedos de mar.

Longos êxtases tinha; amava a Deus em ânsia
E a uma nudez qualquer ávida de abandono
Enquanto ao longe a clarineta da distância
Era também um mar que me molhava o sono.

E adormecia assim, sonhando, vendo e ouvindo
Pulos de peixes, gritos frouxos, vozes rindo
E a lua virginal arder no plexo

Estelar, e o marulho das ondas sucessivas
Da monção, até que alguma entre as mais vivas
Mansa, viesse desaguar pelo meu sexo.

SONETO DA DESESPERANÇA

De não poder viver na esperança
Transformou-a em estátua e deu-lhe um nicho
Secreto, onde ao sabor do seu capricho
Fugisse a vê-la como uma criança.

Tão cauteloso fez-se em seus cuidados
De não mostrá-la ao mundo, que a queria
Que por zelo demais, ficaram um dia
Irremediavelmente separados.

Mas eram tais os seus ciúmes dela
Tão grande a dor de não poder vivê-la
Que em desespero, resolveu-se: — Mato-a.

E foi assim que triste como um bicho
Uma noite subiu até o nicho
E abriu o coração diante da estátua.

OTÁVIO

Torce a boca, olha as coisas abstrato
Percorre da varanda os quatro cantos
E tirando do corpo um carrapato
Imagina o romance mil e tantos...

Logo após olha o mundo e o vê morrendo
Sob a opressão tirânica do mal
E como um passarinho, vai correndo...
Escrever um tratado social.

É amigo de um "braço" na poesia
E de um outro que é só filosofia
E de um terceiro, romancista: veja

Quanto livro a escrever ainda teria
O ditador Otávio de Faria
Sob o signo cristão da nova Igreja...

BRINCANDO COM VINICIUS, BEATRIZ

Brincando com Vinicius, Beatriz
Um dia, por acaso (a cena é velha…)
Atingiu-o no cimo do nariz
Quero dizer: — o olho e a sobrancelha

Com golpe tal que apenas por um triz
(Embora tenha feito ver centelha…)
Não o cegou, deixando, por feliz
De Vinicius a vista mui vermelha.

E como é natural, escabreado
Vinicius, na primeira irritação
Pensou em retrucar o golpe dado

Por Beatriz; pensou, mas disse não!
É melhor esquecer, que machucado
Mais vale um olho do que um coração.

SONETO A QUATRO MÃOS

(COM PAULO MENDES CAMPOS)

Tudo de amor que existe em mim foi dado.
Tudo que fala em mim de amor foi dito.
Do nada em mim o amor fez o infinito
Que por muito tornou-me escravizado.

Tão pródigo de amor fiquei coitado.
Tão fácil para amar fiquei proscrito.
Cada voto que fiz ergueu-se em grito
Contra o meu próprio dar demasiado.

Tenho dado de amor mais que coubesse
Nesse meu pobre coração humano
Desse eterno amor meu antes não desse.

Pois se por tanto dar me fiz engano
Melhor fora que desse e recebesse
Para viver da vida o amor sem dano.

12/8/1945

SONETO COM PÁSSARO E AVIÃO

DE "O GRANDE DESASTRE DO SIX-MOTOR FRANCÊS LIONEL DE MARMIER,
TAL COMO FOI VISTO E VIVIDO PELO POETA
VINICIUS DE MORAES, PASSAGEIRO A BORDO"

Uma coisa é um pássaro que voa
Outra um avião. Assim, quem o prefere
Não sabe às vezes como o espaço fere
Aquele. Um vi morrer, voando à toa

Um dia em Christ Church Meadows, numa antiga
Tarde, reminiscente de Wordsworth...
E tudo o que ficou daquela morte
Foi um baque de plumas, e a cantiga

Interrompida a meio: espasmo? espanto?
Não sei. Tomei-o leve em minha mão
Tão pequeno, tão cálido, tão lasso

Em minha mão... Não tinha o peito de amianto.
Não voaria mais, como o avião
Nos longos túneis de cristal do espaço...

SONETO DO AMIGO

Enfim, depois de tanto erro passado
Tantas retaliações, tanto perigo
Eis que ressurge noutro o velho amigo
Nunca perdido, sempre reencontrado.

É bom sentá-lo novamente ao lado
Com olhos que contêm o olhar antigo
Sempre comigo um pouco atribulado
E como sempre singular comigo.

Um bicho igual a mim, simples e humano
Sabendo se mover e comover
E a disfarçar com o meu próprio engano.

O amigo: um ser que a vida não explica
Que só se vai ao ver outro nascer
E o espelho de minha alma multiplica...

LOS ANGELES, 7/12/1946

SONETO AO CAJU

Amo na vida as coisas que têm sumo
E oferecem matéria onde pegar
Amo a noite, amo a música, amo o mar
Amo a mulher, amo o álcool e amo o fumo.

Por isso amo o caju, em que resumo
Esse materialismo elementar
Fruto de cica, fruto de manchar
Sempre mordaz, constantemente a prumo.

Amo vê-lo agarrado ao cajueiro
À beira-mar, a copular com o galho
A castanha brutal como que tesa:

O único fruto — não fruta — brasileiro
Que possui consistência de caralho
E carrega um culhão na natureza.

HOLLYWOOD, 28/9/1947

SONETO DO BREVE MOMENTO

Plumas de ninhos em teus seios, urnas
De rubras flores no teu ventre, flores
Por todo corpo teu, terso das dores
De primaveras loucas e noturnas.

Pântanos vegetais em tuas pernas
A fremir de serpentes e de sáurios
Itinerantes, pelos multivários
Rios de águas estáticas e eternas.

Feras bramindo nas estepes frias
De tuas brancas nádegas vazias
Como um deserto transmudado em neve

E em meio a essa inumana fauna e flora
Eu, nu e só, a ouvir o Homem que chora
A vida e a morte no momento breve.

BELO HORIZONTE, 1952

SONETO SENTIMENTAL
À CIDADE DE SÃO PAULO

Ó cidade tão lírica e tão fria!
Mercenária, que importa? — basta! importa
Que à noite, quando te repousas morta
Lenta e cruel te envolve uma agonia.

Não te amo à luz plácida do dia
Amo-te quando a neblina te transporta.
Nesse momento, amante, abres-me a porta
E eu te possuo nua e fugidia.

Sinto como a tua íris fosforeja
Entre um poema, um riso e uma cerveja…
E que mal há se o lar onde se espera

Traz saudade de alguma Baviera
Se a poesia é tua, e em cada mesa
Há um pecador morrendo de beleza?

SONETO NA MORTE DE
JOSÉ ARTHUR DA FROTA MOREIRA

Cantamos ao nascer o mesmo canto
De alegria, de súplica e de horror
E a mulher nos surgiu no mesmo encanto
Na mesma dúvida e na mesma dor.

Criamos toda a sedução, e tanto
Que de nós seduzido, o sedutor
Morreu nas mesmas lágrimas de amor
Ao milagre maior do amor em pranto.

Fui um pouco teu cão e teu mendigo
E tu, como eu, mendigo de outro pão
Sempre guardaste o pão do teu amigo

Meu misterioso irmão, sigo contigo
Há tanto, tanto tempo, mão na mão...
Ouve como me chora o coração.

SONETO DA MULHER CASUAL

Por não seres aquela que eu buscava
Nem do meu ontem nada recordares
Por não haver, aquém e além dos mares
Alguém mais relva e seda, avena e lava;

Por o efêmero e o vão me revelares
Dos ídolos antigos que adorava
E por assim sem cânticos chegares
Quando de tudo eu já desesperava;

E por seres feliz e por quereres
A alguém que é feliz, até o resto
De mim, quando talvez nem mais viveres

Serás, inesperada e longe amiga
Presente em todo pensamento, gesto
E palavra de amor que tenha e diga.

SONETO DE LUZ E TREVA

PARA A MINHA GESSE,
E PARA QUE ILUMINE SEMPRE A MINHA NOITE

Ela tem uma graça de pantera
No andar bem-comportado de menina.
No molejo em que vem sempre se espera
Que de repente ela lhe salte em cima.

Mas súbito renega a bela e a fera
Prende o cabelo, vai para a cozinha
E de um ovo estrelado na panela
Ela com clara e gema faz o dia.

Ela é de capricórnio, eu sou de libra
Eu sou o Oxalá velho, ela é Inhansã
A mim me enerva o ardor com que ela vibra

E que a motiva desde de manhã.
— Como é que pode, digo-me com espanto
A luz e a treva se quererem tanto...

ITAPUÃ, 8/12/1971

SONETO NO SESSENTENÁRIO DE RUBEM BRAGA

Sessenta anos não são sessenta dias
Nem sessenta minutos, nem segundos...
Não são frações de tempo, são fecundos
Zodíacos, em penas e alegrias.

São sessenta cometas oriundos
Da infinita galáxia, nas sombrias
Paragens onde Deus resgata mundos
Desse caos sideral de estrelas-guias.

São sessenta caminhos resumidos
Num só; sessenta saltos que se tenta
Na direção de sóis desconhecidos

Em que a busca a si mesma se contenta
Sem saber que só encontra tempos idos...
Não são seis, nem seiscentos: são sessenta!

ITAPUÃ, 12/1/1973

SONETO DE MARTA

Teu rosto, amada minha, é tão perfeito
Tem uma luz tão cálida e divina
Que é lindo vê-lo quando se ilumina
Como se um círio ardesse no teu peito

E é tão leve teu corpo de menina
Assim de amplos quadris e busto estreito
Que dir-se-ia uma jovem dançarina
De pele branca e fina, e olhar direito

Deverias chamar-te Claridade
Pelo modo espontâneo, franco e aberto
Com que encheste de cor meu mundo escuro

E sem olhar nem vida nem idade
Me deste de colher em tempo certo
Os frutos verdes deste amor maduro.

RIBEIRÃO PRETO, 5/6/1975

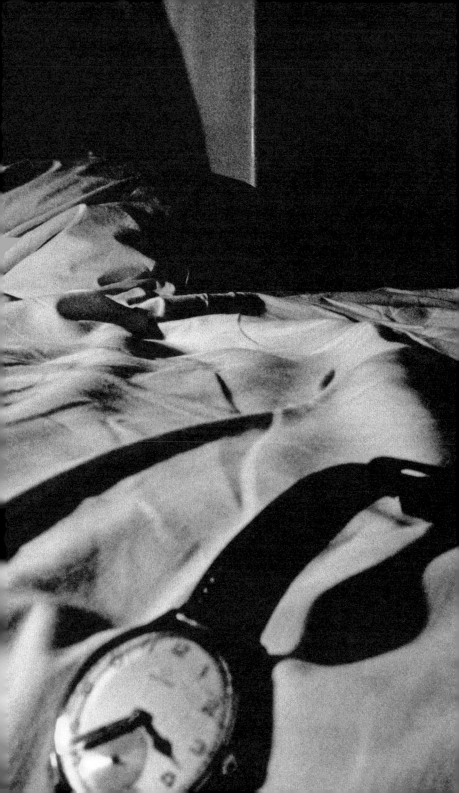

O CAMINHO PARA O SONETO*

OTTO LARA RESENDE

Un rêveur est toujours mauvais poète.

JEAN COCTEAU

Vinicius de Moraes estreou em 1933, aos dezenove anos, com *O caminho para a distância* — um livro, a começar pelo título, embriagado pela vertigem das grandes abstrações e das grandes alturas. Com invocações ao Espírito e à Verdade — tudo com maiúsculas —, o poeta reivindica um lugar privilegiado, como ser assinalado e meio esotérico, compassivo para com os homens, mas certamente acima de todos os homens:

> A vida do poeta tem um ritmo diferente
> ....
> E a sua alma é uma parcela do infinito distante

Sua alma sofre "pavorosamente a dor de ser privilegiada". O poeta está comprometido, como um missionário, com "o infinito que ninguém sonda e ninguém compreende": "Ele é o eterno errante dos caminhos/ Que vai, pisando a terra e olhando o céu".

---

* Prefácio de *Livro de sonetos*, Rio de Janeiro: Sabiá, 1967.

Na verdade, olhava mais o céu do que pisava a terra, a que se sentia, contudo, atraído por uma incoercível, terrena e já evidente — pelo menos nas entrelinhas — lei da gravidade.

Ao primeiro livro, segue-se *Forma e exegese*, que é de 1935, no qual o autor anunciava de cara — "em preparo" — um romance (*O conhecimento do Amor*) e novo livro de poemas (*A face do Anjo*), dois títulos expressivos e reveladores. Amor e Anjo, ambos com A grande, eram entidades próximas, se não a face de um mesmo e único Mistério (também com M grande). A dedicatória mantém-se na mesma soberba atitude:

A Jean-Arthur Rimbaud
e
Jacques Rivière
em Deus.

Em *Forma e exegese*, já está um dos primeiros poemas que Vinicius selecionaria para a sua *Antologia poética* — "Ausência", no qual o lírico dribla o cipoal de angústias metafísicas em que o "poeta altíssimo" andava enredado. *Forma e exegese* respira o mesmo estro que *O caminho para a distância*, mas é ainda mais ambicioso, mais altissonante, mais pomposo. O poeta espraia-se num ritmo solene, é um sacerdote que, do alto de sua sapiência, fala à turbamulta, sem com ela confundir-se.

Em 1936, surge *Ariana, a mulher*, que, segundo o próprio autor, encerra "a sua fase transcendental, frequentemente mística". Transcendental, sim; mística, nem tanto, a menos que se tome a palavra no sentido vulgar, de *alegórico*, ou *esotérico*, e que estará mais próxima de um juvenil mistifório do que de um misticismo contemplativo. A verdade, porém, é que *Ariana*, mais do que o sotaque antigo, guarda ainda a opulenta retórica da primeira fase e nela assenta como a luva à mão.

A data da mudança que se operou no poeta não pode ser fixada com precisão, mas é fora de dúvida que ele, que só celebrava no altar de Rimbaud e outros clérigos de alto coturno, transitou do reino do sublime para o plano do real. Despojou-se da contemplação narcisista de seus provavelmente imaginários tormentos pessoais. A linguagem, como tinha de ser, desce ao natural, se não ao coloquial. Desaparecem os sustenidos artificiosos e os falsetes que não lhe pertenciam. O poeta deixa de fazer pose: cedo enjoa de orgulhosas inquietações mais ou menos postiças e, no seu caso, de uma ênfase muito mais adolescente do que poética. Nessa primeira fase, de que *Forma e exegese*, até pelo título, é tão característica, o ritmo é largo, claudeliano, ou brasileiramente schmidtiano (não nos esqueçamos de que Schmidt, editor do livro de estreia de Vinicius, foi, com este, objeto de um longo estudo apologético de Otávio de Faria — *Dois poetas*). As metáforas, pandas, têm então envergadura condoreira e buscam, aflita e presunçosamente, uma eloquência que abomina o silêncio e execra o comezinho.

Dentro de um contexto de reação às trivialidades, às piadas e às rastaquerices da onda modernista, que vinha de 1922, o poeta imposta e alça a voz para cantar a "mulher desespero", a "que perpetua o desespero humano", o "ser ignorado". O "fardo da carne" acentua os espasmos de uma adolescência literariamente manipulada para encher o seu farnel metafórico. O que lhe importa não é ver o que existe e o cerca, mas o que está para lá do que existe e o cerca. Cuida de entrever mais do que de ver. É um vidente, à maneira de Rimbaud. A inspiração confunde-se frequentemente com o delírio, ainda que fabricado a duras penas. Além de feroz e altíssimo, como se confessa, o poeta quase imberbe é grave, gravíssimo, até que a aceitação do real o convide a deixar de ser inquilino do sublime, a recolher as velas de sua desbragada inspiração. É natural, pois, que a princípio a mudança lhe soe como empobrecimento: "Meu sonho, eu te perdi; tornei-me em homem".

Feito homem, homem entre homens, homem entre coisas, o poeta se dá conta de seus cinco sentidos alertas, que de resto nunca lhe faltaram, pois os eflúvios místicos — vá lá — de sua fase sublime sempre se mesclaram de inequívocos arrancos sensuais, sobretudo em *O caminho para a distância*, quando ele estava, quem sabe, menos consciente de sua aristocrática missão de... bardo (ou de vate, à escolha).

Descendo ao concreto, o poeta faz as pazes com a vida. Caminha para assumir a sua naturalidade. Livra-se das penas de pavão e de águia que se tinha acrescentado. Já não é uma ave-do-paraíso. Não mais necessita de exacerbar, por vanglória de super-homem, as razões de sua angústia. Ao contrário, procura apaziguá-las. Descobre o chão em que pisa, encara o cotidiano e não se envergonha — a partir de *Novos poemas* — de falar como todo mundo, tão coloquial quanto... Manuel Bandeira (que de resto lhe fornece a epígrafe para aquele livro: "Todos os ritmos, sobretudo os inumeráveis"). A prosa já não é desdenhosa; não é contra, mas a favor; não se derrama em apóstrofes nem se despenha em cascatas espumejantes para inglês ver; nasce do encontro e não do conflito, da aliança e não do atrito. Poeta e cidadão se encontram, entendem-se, falam a mesma língua.

E a mulher se encarna. Ainda estará longe do padrão meio faceto e muito íntimo da famosa "Receita de mulher", mas já não é mais uma transfiguração perturbadora e etérea — espécie de fantasma inexistente de um castelo que também não existe. A mulher agora é gente, vai ser companheira e amiga:

Não, tu não és um sonho, és a existência
Tens carne, tens fadiga e tens pudor
No calmo peito teu.

O poeta reconhece os amigos: "Soneto a Otávio de Faria", "Saudade de Manuel Bandeira", "Balada de Pedro Nava", "Mensagem a Rubem Braga", "Máscara mortuária de Graciliano Ramos", "A última viagem de Jayme Ovalle". Volta-se para o tempo presente, esquece as profecias de timbre apocalíptico. Talvez já não pense na posteridade e, por isso, quem sabe, começa a assegurá-la. Os poetas intelectuais franceses e os poetas metafísicos ingleses fazem parte de uma aventura espiritual encerrada. Pablo Neruda, sensual e social, e García Lorca, valorizado pelo martírio, tornam-se familiares. Vinicius veste-se sob medida, põe-se à vontade dentro de um lirismo que, sobretudo a partir de *Cinco elegias* (1943), está mais solto, mais desenvolto. Os largos versos de largo fôlego despem a sua adjetiva púrpura de nobreza perfunctória — e duvidosa. O poeta multiplica os seus ritmos e persegue a sua substância, desvenda os próprios temas. Dispõe de um instrumento hábil e adestrado. Sua manipulação do verso é acrobática, com uma flexibilidade musical capaz de fazer misérias.

É a época das baladas. A "Balada do Mangue", cuja publicação na *Revista do Brasil* constitui um caso nacional. "Rosário", em que se viram reminiscências lorquianas ("La casada infiel"). A "Balada das meninas de bicicleta", a "das arquivistas", a "da moça do Miramar" e, mais tarde, a "das duas mocinhas de Botafogo": a mulher já não tem nada da idealização de musa incorpórea. Das pobres flores gonocócicas à amada, a mulher agora é de carne e osso. Mulher que trabalha, que anda de bicicleta, que habita em suma a cidade do real. E porque aí também habita, o poeta está impregnado de uma consciência social que o convoca para as preocupações de seu tempo. Tempo de guerra: "Balada dos mortos dos campos de concentração", "A bomba atômica", "A rosa de Hiroxima". De um certo desdém altivo, que não lhe era genuíno. Vinicius caminha assim para a compreensão e depois para a via larga e misericordiosa da absolvição geral: "Tende piedade, Senhor, de todas as mulheres".

A matéria do poeta, "a quem foi dado se perder de amor pelo seu semelhante", é a vida — "e só a vida, com tudo o que ela tem de sórdido e de sublime". Nada que é humano lhe é estranho. Uma sublimidade pejorativamente angélica cede lugar ao "sentimento da fecundidade da vida". A fórmula viniciana de viver intensamente guarda, contudo, ressaibos da antiga sede de absoluto, ou qualquer coisa parecida: a consciência do insatisfatório, a certeza de que tudo afinal é pouco. Mas o poeta é um bicho da terra e opera no horizonte de suas experiências, de seu comércio humano, sem as moedas falsas de que trazia cheios os bolsos no começo de um caminho que se pretendia para a distância, mas não foi.

Pouco importa o que se tenha, moralmente, ou metafisicamente, a dizer sobre a qualidade do espetáculo do mundo — Vinicius é um protagonista que não se esconde nos bastidores. Dá-se, empenha-se, age como age. Sua poética, como sua vida, abre-se por isso cordial e fraterna. Sua casa é "grande e clara", as janelas abertas, abertas as portas: "Entrai, irmãos meus!". O sentimento da convivência, da comunhão, banha o poeta e o homem (e haverá distinção entre um e outro?), banha sua obra:

> A maior solidão é a do ser que não ama. A maior solidão
> é a do ser que se ausenta, que se defende, que se fecha,
> que se recusa a participar da vida humana. A maior
> solidão é a do homem encerrado em si mesmo, no
> absoluto de si mesmo, o que não dá a quem pede o que
> ele pode dar de amor, de amizade, de socorro. O maior
> solitário é o que tem medo de amar, o que tem medo de
> ferir e ferir-se, o ser casto da mulher, do amigo, do
> povo, do mundo. Esse queima como uma lâmpada triste,
> cujo reflexo entristece também tudo em torno. Ele
> é a angústia do mundo que o reflete. Ele é o que se recusa

às verdadeiras fontes da emoção, as que são o patrimônio de todos, e, encerrado em seu duro privilégio, semeia pedras do alto de sua fria e desolada torre.

Tomado o partido do sentimento contra o ressentimento, o poeta afasta a solidão que se confunde com o orgulho e o menoscabo. Não mais para exaltar-se, mas para exaltar a vida, sente-se e faz-se intérprete e, se me permitem, se desintelectualiza. E assim alarga o campo de sua comunicação com o grande público que lhe confere a palma palpável de sua glória.

Essa comunicação mais ampla, mais numerosa e até mais fácil pedirá a cooperação da música. A fusão sempre é viável nesse poeta do encontro. Poema e canção se casam, convivem amigável e respeitosamente na penumbra de uma boate que o público entulha para ouvir, da mesma boca, o "Berimbau" e "O dia da Criação". Eu vi e dou testemunho desse hálito fresco de poesia injetado de surpresa na frivolidade burguesa e na boêmia dissipação. O poeta parece ter encontrado aquela "música que seja como o ponto de reunião de muitas vozes". Romperam-se as últimas cadeias, a palavra se fez canto, o poema se fez canção. É a popularidade. O poeta é arauto e porta-voz. Por tudo o que a vida oferece ("É claro que a vida é boa") e por tudo o que à vida falta ("Acontece que eu sou triste"), pela dialética das razões e pela sem-razão da dialética, "mais que nunca é preciso cantar!".

Na maturidade, o apaziguamento retoma os caminhos da infância — tempo em que tudo "era indizivelmente bom". Já não importa viver perigosamente, mas afetuosamente. O poeta convive e quer bem. Torna-se o maior cantor de sua cidade, com cuja alma se identifica. Para só falar das letras de músicas, deixando de lado os poemas, entre os quais todo um livro, ainda inédito, em louvor do Rio, sucedem-se as criações na linha da tradição popular, recriada à feição de uma sensibilidade impregnada do sal de seu tempo. Pela voz do poeta, cantam os que não têm voz. O próprio morro tem vez. Vinicius abandona a tentação de um refinamento a seu alcance e dissolve-se no sentimento geral. Assim como em versos de quem conhece os segredos da técnica mais apurada cabe uma receita de feijoada, assim também, no balanço e na cadência de um samba, cabe um hino de amor à vida. O poeta altíssimo está, finalmente, na boca das multidões. Agora, sim, olha o céu, mas sobretudo pisa a terra.

Já n'*O caminho para a distância*, seu livro de estreia, Vinicius divulga seus primeiros sonetos. O primeiro deles, pela ordem de paginação, "Revolta", é, claramente, um autoconvite para abandonar o pranto, a solidão, o espaço e, deixando de ser água das alturas infinitas, vir habitar o mundo: "O mundo é bom, o espaço é muito triste...".

É uma antecipação premonitória do itinerário que aqui procuramos rastrear. Já o segundo soneto d'*O caminho* chora copiosamente: o poeta é um incompreendido, um perdido, um desesperado que se esforça em demonstrar-se que é impraticável conciliar a alegria de viver com a nobre missão de poetar. Dois versos logo no primeiro quarteto definem uma pretensa filosofia de cunho romântico, tão século XIX: "— A vida é um sonho vão que a vida leva/ Cheio de dores tristemente mansas".

A mesma temática reaparece no terceiro e último soneto d'*O caminho* — "Judeu errante", que nada tem ainda da marca pessoal de Vinicius. Essa marca só vai aparecer, nítida e finalmente livre, em *Novos poemas*, que se abre com "Ária para assovio", incorporada à *Antologia* mais tarde selecionada pelo poeta. A seguir, "Amor nos três pavimentos" assinala a chegada de Vinicius ao mundo, ao chão de todo o mundo. Fundem-se aí a linguagem do amor e a linguagem da infância. Amar é ser feliz, logo, ser criança. O poeta entra na posse de um instrumento literário capaz de lhe dar, de saída, o seu "Soneto de intimidade", a que se seguem — todos incluídos nos *Novos poe-*

mas — o "Soneto à lua", o "Soneto de agosto", o "Soneto a Katherine Mansfield", o "Soneto de contrição", o "Soneto de devoção" e o "Soneto de inspiração".

Uma vez na posse de sua língua pessoal, Vinicius nunca mais deixará de compor os seus sonetos. Observa Paulo Mendes Campos, com razão, que "depois do modernismo, inimigo do soneto, foi Vinicius de Moraes que começou a criar gosto pelo soneto de forma regular". Composição poética de catorze versos, com dois quartetos e dois tercetos, há mil maneiras de fazer um soneto, sem contar a estrambótica. O soneto está em todas as literaturas e, desde o século XIII, resiste a todas as revoluções. Não há a rigor grande poeta que não tenha sonetado — Dante, Petrarca, Shakespeare. Nas letras portuguesas, as duas mais altas vozes são de exímios sonetistas — Camões e Fernando Pessoa. O soneto é, a bem dizer, a carta de identidade de um poeta. É preciso chamar-se, porém, Charles Baudelaire, ou equivalente, para meter-se na camisa de força de um soneto e de fato empreender, com disciplina e liberdade, obra pessoal, poeticamente válida.

No Brasil, depois da rigidez parnasiana, responsável por algumas peças marmóreas, mas perenes (Raimundo Correia, Olavo Bilac, Alberto de Oliveira), a reação simbolista floresceu com sonetistas do porte de Alphonsus de Guimaraens e Cruz e Sousa. O movimento modernista, para oxigenar o provinciano e sufocante ambiente literário nacional, precisou saudavelmente mover campanha mortal contra o soneto. Como era de esperar, os resultados foram positivos: o soneto não morreu, mas ressurgiu renovado e, nem por isso, menos popular. Os próprios corifeus do modernismo — Mário de Andrade, Manuel Bandeira, Jorge de Lima, Carlos Drummond de Andrade — conquistaram o direito de cometer os seus sonetos sem renunciar à personalidade e à poesia.

Forma poética popular desde a sua origem, o soneto é, para o poeta, como diz Paulo Mendes Campos, "um desafio e uma brincadeira". Desafio sobretudo, quero crer, pelo convite a reformar uma fórmula esgotada e sempre inesgotável; brincadeira que, como todo ato lúdico, só dá prazer dentro de um mínimo de regras, nessa inebriante conciliação da liberdade com a disciplina.

Vinicius é um que aceitou o desafio e saiu-se bem dele. Seu lugar, na volta ao soneto, se volta houve entre nós, está historicamente assegurado. Seus sonetos, longe de serem acadêmicos, isto é, frios, natimortos, são essencialmente modernos: respiram a mesma naturalidade de suas melhores composições. A lição camoniana, que por sua vez será petrarquiana, amplia, nos sonetos vinicianos, esse espaço imponderável, mas nítido, da liberdade interior, sem a qual o soneto é apenas um exercício enfadonho e bem-pensante, tendente ao sublime, mas tão só conceituoso, o que quer dizer antipoético. O cilício do soneto, para usar a expressão feliz de Carlos Dante de Moraes, como todo recurso de ascese, há de conduzir a mais liberdade, o que no caso é também mais personalidade, ou seja — originalidade.

É fácil entender, por tudo isso, como faltava à bibliografia de Vinicius de Moraes este *Livro de sonetos*. Aqui se juntam todos os de sua lavra que o poeta considera realizados, impregnados, pois, de sua marca pessoal. Vários deles já correm mundo e frequentam obrigatoriamente as coletâneas do gênero. Conquistaram, com o favor do público, o direito à permanência. É o caso do "Soneto de fidelidade", cujos ecos — pelo menos os ecos — estão em todas as oiças. Ou do "Soneto de separação", que, como aquele, atravessa, impávido, em decassílabos espontâneos, ainda que de sabor clássico — ou camoniano, o que dá na mesma —, os escolhos de um tema eterno. Na mesma linha, eu poderia citar o "Soneto do amor total". Metro e rima variam, porém, segundo as exigências do tema, ou segundo os caprichos do poeta, que é, no soneto ou fora dele, um malabarista que não recua diante do salto mortal. Aí está, entre tantos, "A pera", que não me deixa mentir.

Desafiando e brincando, ao longo de 35 anos de fidelidade à poesia, Vinicius construiu este *Livro de sonetos*, do qual se poderá dizer, sem querer bancar o profeta, que o público já consagrou, com o que dá provas de bom gosto e discernimento. De todas as formas poéticas, fora a quadrinha em redondilhas, o soneto é por certo a mais popular, inclusive — ou sobretudo — porque de mais fácil memorização. A unidade da peça e até o galope dos versos, quase sempre heroicos, assim como a distribuição geométrica e visual em quartetos e tercetos, são bons arrimos para a memória, que aliás, em matéria de sonetos, é ajudada pelo seu melhor servo, que é o coração. Saber de cor, no caso, é mesmo saber de coração. Também quanto a esse aspecto da acolhida popular, é fora de dúvida que Vinicius, com os seus sonetos, várias vezes acerta na mosca.

A Editora Sabiá, agindo sabiamente, ao publicar este *Livro de sonetos*, não faz mais do que obedecer a uma misteriosa lei natural — e é que os sonetos, como certas aves, estimam andar em bando, juntos, para juntos enfrentarem os riscos de serem abatidos, quero dizer: de serem lidos, amados e decorados.

CRONOLOGIA

1913
Nasce Vinicius de Moraes,
em 19 de outubro,
no bairro da Gávea,
Rio de Janeiro, filho de
Lydia Cruz de Moraes
e Clodoaldo Pereira
da Silva Moraes.

1916
A família muda-se
para Botafogo, e Vinicius
passa a residir com
os avós paternos.

1922
Seus pais e os irmãos
transferem-se para a ilha
do Governador, onde
Vinicius constantemente
passa suas férias.

1924
Inicia o curso secundário
no Colégio Santo Inácio,
em Botafogo.

1928
Compõe, com Haroldo
e Paulo Tapajós,
respectivamente, os foxes
"Loura ou morena"
e "Canção da noite",
gravados pelos Irmãos
Tapajós em 1932.

1929
Bacharela-se em letras,
no Santo Inácio.
Sua família muda-se para
a casa contígua àquela
onde nasceu o poeta,
na rua Lopes Quintas.

1930
Entra para a Faculdade
de Direito da rua do Catete.

1933
Forma-se em direito
e termina o Curso de
Oficial de Reserva.
Estimulado por Otávio
de Faria, publica seu
primeiro livro, *O caminho
para a distância*,
na Schmidt Editora.

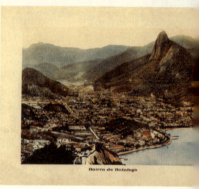

1935
Publica *Forma e exegese*, com o qual ganha o Prêmio Felipe d'Oliveira.

1936
Publica, em separata, o poema *Ariana, a mulher*.

1938
Publica *Novos poemas*. É agraciado com a bolsa do Conselho Britânico para estudar língua e literatura inglesas na Universidade de Oxford (Magdalen College), para onde parte em agosto do mesmo ano. Trabalha como assistente do programa brasileiro da BBC.

1939
Casa-se, por procuração, com Beatriz Azevedo de Mello. Regressa da Inglaterra em fins do mesmo ano, devido à eclosão da Segunda Grande Guerra.

1940
Nasce sua primeira filha, Susana. Passa longa temporada em São Paulo.

1941
Começa a escrever críticas de cinema para o jornal *A Manhã* e colabora no Suplemento Literário.

1942
Nasce seu filho, Pedro. Faz uma extensa viagem ao Nordeste do Brasil acompanhando o escritor americano Waldo Frank.

1943
Publica *Cinco elegias*. Ingressa, por concurso, na carreira diplomática.

1944
Dirige o Suplemento Literário d'*O Jornal*.

1946
Parte para Los Angeles, como vice-cônsul, em seu primeiro posto diplomático. Publica *Poemas, sonetos e baladas* (372 exemplares, com ilustrações de Carlos Leão).

1947
Estuda cinema com Orson Welles e Gregg Toland. Lança, com Alex Viany, a revista *Filme*.

1949
Publica *Pátria minha* (tiragem de cinquenta exemplares, em prensa manual, por João Cabral de Melo Neto, em Barcelona).

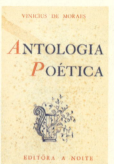

1950
Morre seu pai. Retorna ao Brasil.

1951
Casa-se com Lila Bôscoli. Colabora no jornal *Última Hora* como cronista diário e, posteriormente, como crítico de cinema.

1953
Nasce sua filha Georgiana. Colabora no tabloide semanário Flan, de *Última Hora*. Edição francesa das *Cinq élégies*, nas edições Seghers. Escreve crônicas diárias para o jornal *A Vanguarda*. Segue para Paris como segundo-secretário da embaixada brasileira.

1954
Publica *Antologia poética*. A revista *Anhembi* edita sua peça *Orfeu da Conceição*, premiada no concurso de teatro do IV Centenário da cidade de São Paulo.

1955
Compõe, em Paris, uma série de canções de câmara com o maestro Claudio Santoro. Trabalha, para o produtor Sasha Gordine, no roteiro do filme *Orfeu negro*.

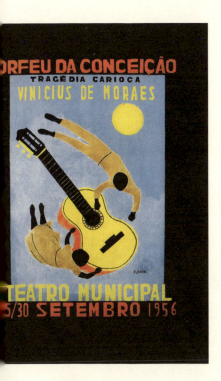

1957
É transferido da embaixada em Paris para a delegação do Brasil junto à Unesco. No fim do ano é removido para Montevidéu, regressando, em trânsito, ao Brasil. Publica *Livro de sonetos*.

1958
Parte para Montevidéu. Casa-se com Maria Lúcia Proença. Sai o LP *Canção do amor demais*, de Elizeth Cardoso, com músicas suas em parceria com Tom Jobim.

1956
Volta ao Brasil em gozo de licença-prêmio. Nasce sua terceira filha, Luciana. Colabora no quinzenário *Para Todos*. Trabalha na produção do filme *Orfeu negro*. Conhece Antonio Carlos Jobim e convida-o para fazer a música de *Orfeu da Conceição*, musical que estreia no Teatro Municipal do Rio de Janeiro. Retorna, no fim do ano, a seu posto diplomático em Paris.

1959
Publica *Novos poemas II*. *Orfeu negro* ganha a Palma de Ouro do Festival de Cannes e o Oscar de Melhor Filme Estrangeiro.

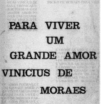

1960
Retorna à Secretaria do Estado das Relações Exteriores. Segunda edição (revista e aumentada) de *Antologia poética*. Edição popular da peça *Orfeu da Conceição*. É lançado *Recette de femme et autres poèmes*, tradução de Jean-Georges Rueff, pelas edições Seghers.

1961
Começa a compor com Carlos Lyra e Pixinguinha. É publicado *Orfeu negro*, com tradução italiana de P. A. Jannini, pela Nuova Academia Editrice.

1962
Começa a compor com Baden Powell. Compõe, com Carlos Lyra, as canções do musical *Pobre menina rica*. Em agosto, faz show com Tom Jobim e João Gilberto na boate Au Bon Gourmet. Na mesma boate, apresenta o espetáculo *Pobre menina rica*, com Carlos Lyra e Nara Leão. Compõe com Ary Barroso. Publica *Para viver um grande amor*, livro de crônicas e poemas. Grava, como cantor, disco com a atriz e cantora Odete Lara.

1963
Começa a compor com
Edu Lobo. Casa-se
com Nelita Abreu Rocha
e parte para um posto
em Paris, na delegação
do Brasil junto à Unesco.

1964
Regressa de Paris
e colabora com crônicas
semanais para a revista
Fatos e Fotos, assinando,
paralelamente, crônicas
sobre música popular
para o *Diário Carioca*.
Começa a compor com
Francis Hime. Faz show
(transformado em LP)
com Dorival Caymmi
e o Quarteto em Cy na
boate carioca Zum Zum.

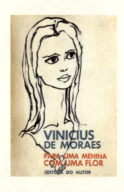

1965
Publica a peça *Cordélia
e o peregrino*, em edição do
Serviço de Documentação
do Ministério da Educação
e Cultura. Ganha
o primeiro e o segundo
lugares do I Festival de
Música Popular Brasileira
da TV Excelsior de São
Paulo, com "Arrastão"
(parceria com Edu Lobo)
e "Valsa do amor que
não vem" (parceria com
Baden Powell). Trabalha
com o diretor Leon
Hirszman no roteiro do
filme *Garota de Ipanema*.
Volta à apresentação
com Caymmi, na boate
Zum Zum.

1966
São feitos documentários
sobre o poeta pelas
televisões americana,
alemã, italiana e francesa,
os dois últimos realizados
pelos diretores Gianni
Amico e Pierre Kast.
Publica *Para uma menina
com uma flor*. Faz parte do
júri do Festival de Cannes.

1967
Publica a segunda edição (aumentada) do *Livro de sonetos*. Estreia o filme *Garota de Ipanema*.

1968
Falece sua mãe, em 25 de fevereiro. Publica *Obra poética*, organizada por Afrânio Coutinho, pela Companhia Aguilar Editora.

1969
É exonerado do Itamaraty. Casa-se com Cristina Gurjão.

1970
Casa-se com Gesse Gessy. Nasce sua filha Maria Gurjão. Início de sua parceria com Toquinho.

1971
Muda-se para a Bahia. Viaja para a Itália.

1972
Retorna à Itália com Toquinho, onde gravam o LP *Per vivere un grande amore*.

1975
Excursiona pela Europa. Grava, com Toquinho, dois discos na Itália.

1976
Casa-se com Marta Rodrigues Santamaria.

1977
Grava LP em Paris, com Toquinho. Show com Tom, Toquinho e Miúcha, no Canecão.

1978
Excursiona pela Europa com Toquinho. Casa-se com Gilda de Queirós Mattoso.

1980
Morre, na manhã de 9 de julho, em sua casa, na Gávea.

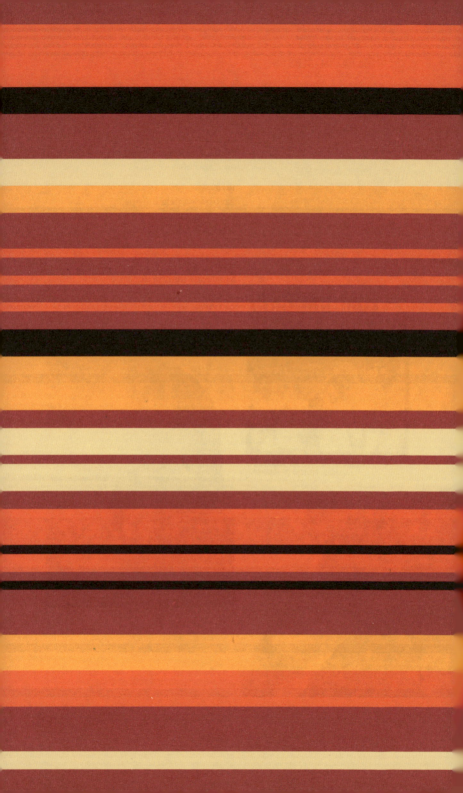

CRÉDITOS DAS IMAGENS

pp. 8-9: Richard Kalvar/ Magnum Photos/ Fotoarena

pp. 22-23 e 124-125: Sergio Larrain/ Magnum Photos/ Fotoarena

pp. 100-101: Rene Burri/ Magnum Photos/ Fotoarena

pp. 122-123: Erich Hartmann/ Magnum Photos/ Fotoarena

pp. 138-139: Bruce Davidson/ Magnum Photos/ Fotoarena

pp. 156-157: Richard Kalvar/ Magnum Photos/ Fotoarena

pp. 142, 143 (acima), 144 (ao centro à esquerda), 144 (abaixo à direita), 146 (à esquerda), 146 (abaixo à direita), 148 (à direita), 149 (à esquerda), 150 (à esquerda) e 151 (abaixo à direita): DR/ Acervo VM

pp. 143 (abaixo), 144 (acima à esquerda), 144 (abaixo ao centro), 145, 146 (acima à direita), 147 e 148 (à direita): Arquivo Acervo – Museu de Literatura Brasileira da Fundação Casa de Rui Barbosa

p. 144 (ao centro à direita): Anônimo/ Coleção Gilberto Ferrez/ Acervo Instituto Moreira Sales

p. 148 (à direita): DR/ Lucia Proença

p. 149 (acima): Carlos Scliar/ Acervo Nelita Leclerly

p. 150 (à direita): DR/ Ziraldo. Acervo Mariana Pereira Santana

p. 151 (acima à esquerda): Acervo do organizador

ÍNDICE DE TÍTULOS

Allegro, 45
Anfiguri, 98
A pera, 67
Ária para assovio, 27

Bilhete a Baudelaire, 65
Brincando com Vinicius,
   Beatriz, 108

Epitáfio, 51

Máscara mortuária de
   Graciliano Ramos, 75

Não comerei da alface
   a verde pétala, 66

O anjo das pernas tortas, 93
O escândalo da rosa, 56
O espectro da rosa, 82
Os quatro elementos, 85
Otávio, 107
O verbo no infinito, 84

Poética, 71
Poética (II), 92
Pôr do sol em Itatiaia, 54

Quatro sonetos de
   meditação, 39

Retrato de Maria Lúcia, 81

Sinto-me só como um seixo
   de praia, 104
Sonetinho a Portinari, 48
Soneto a Florença, 74
Soneto a Katherine Mansfield, 28

Soneto a Lasar Segall, 60
Soneto à lua, 32
Soneto a Otávio de Faria, 47
Soneto a Pablo Neruda, 91
Soneto a quatro mãos, 109
Soneto ao caju, 112
Soneto ao inverno, 49
Soneto com pássaro e avião, 110
Soneto da desesperança, 106
Soneto da espera, 95
Soneto da hora final, 89
Soneto da ilha, 105
Soneto da mulher ao sol, 79
Soneto da mulher casual, 116
Soneto da mulher inútil, 58
Soneto da rosa, 62
Soneto da rosa tardia, 96
Soneto de agosto, 38
Soneto de aniversário, 59
Soneto de Carnaval, 43
Soneto de contrição, 31
Soneto de despedida, 55
Soneto de devoção, 29
Soneto de fidelidade, 53
Soneto de intimidade, 30
Soneto de Londres, 50
Soneto de luz e treva, 117
Soneto de maio, 99
Soneto de maioridade, 76
Soneto de Marta, 119
Soneto de Montevidéu, 83
Soneto de Oxford, 36
Soneto de Quarta-Feira
   de Cinzas, 57
Soneto de separação, 35
Soneto de um domingo, 61
Soneto de véspera, 46
Soneto do amigo, 111

Soneto do amor como um rio, 80
Soneto do amor total, 73
Soneto do breve momento, 113
Soneto do Corifeu, 78
Soneto do gato morto, 97
Soneto do maior amor, 37
Soneto do só, 63
Soneto na morte de José Arthur
    da Frota Moreira, 115
Soneto no sessentenário de
    Rafael Alberti, 94
Soneto no sessentenário de
    Rubem Braga, 118
Soneto sentimental à cidade de
    São Paulo, 114

Tríptico na morte de Sergei
    Mikhailovitch Eisenstein, 68

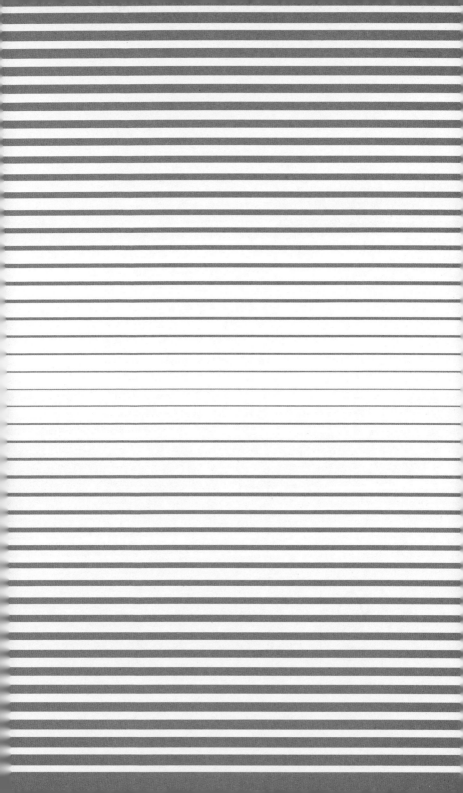

ESTA OBRA FOI COMPOSTA
EM MINION POR CLAUDIA WARRAK
E IMPRESSA EM OFSETE
PELA GEOGRÁFICA SOBRE PAPEL
PÓLEN BOLD DA SUZANO S.A.
PARA A EDITORA SCHWARCZ
EM JANEIRO DE 2025

A MARCA FSC® É A GARANTIA DE QUE A MADEIRA UTILIZADA NA FABRI-
CAÇÃO DO PAPEL DESTE LIVRO PROVÉM DE FLORESTAS QUE FORAM
GERENCIADAS DE MANEIRA AMBIENTALMENTE CORRETA, SOCIALMEN-
TE JUSTA E ECONOMICAMENTE VIÁVEL, ALÉM DE OUTRAS FONTES DE
ORIGEM CONTROLADA.